MÁRIO DE ANDRADE

# PAULICEIA DESVAIRADA

MÁRIO DE ANDRADE
PAULICEIA
DESVAIRADA
Texto Integral
Questões de vestibular comentadas
Principis

Esta é uma publicação Principis, selo exclusivo da Ciranda Cultural


Texto
Mário de Andrade

Revisão
Casa de ideias

Produção e Projeto gráfico
Ciranda Cultural

Imagens
Alexzel's/Shutterstock.com;

A553p Andrade, Mário de, 1893-1945

Pauliceia Desvairada / Mário de Andrade. - 3. ed. - Jandira, SP : Principis, 2019.
112 p. ; 16cm x 23cm.

Inclui índice.
ISBN: 978-85-943-1887-9

1. Literatura brasileira. 2. Poemas. I. Título. II. Série.

CDD 869.1
2019-1445 CDU 821.134.3(81)-1

**Elaborado por Vagner Rodolfo da Silva - CRB-8/9410**

**Índice para catálogo sistemático:**
1. Literatura brasileira: Poemas 869.1
2. Literatura brasileira: Poemas 821.134.3(81)-1

3ª edição em 2019
www.cirandacultural.com.br

# Sumário

Complement de leitura

# A Mário de Andrade

Mestre querido.

Nas muitas horas breves que me fizestes ganhar
a vosso lado dizíeis da vossa confiança pela arte
livre e sincera... Não de mim, mas de vossa
experiência recebi a coragem da minha Verdade
e o orgulho do meu Ideal.
Permiti-me que ora vos oferte este livro que
de vós me veio. Prouvera Deus! Nunca vos
perturbe a dúvida feroz de Adriano Sixte...
Mas não sei, Mestre, se me perdoareis a distância
mediada entre estes poemas e vossas altíssimas
lições... Recebei no vosso perdão o esforço
do escolhido por vós para único discípulo;
daquele que neste momento de martírio muito
a medo inda vos chama o seu Guia, o seu Mestre,
o seu Senhor.

Mário de Andrade

São Paulo, 14 de dezembro de 1921

# Prefácio interessantíssimo

*Dans mon pays de fiel et d'or*
*j'en suis la loi.*

E. Verhaeren

1 Leitor:

Está fundado o Desvairismo.

*

2 Este prefácio, apesar de interessante, inútil.

*

3 Alguns dados. Nem todos. Sem conclusões. Para quem me aceita são inúteis ambos. Os curiosos terão prazer em descobrir minhas conclusões, confrontando obra e dados. Para quem me rejeita trabalho perdido explicar o que, antes de ler, já não aceitou.

*

4 Quando sinto a impulsão lírica escrevo sem pensar tudo o que meu inconsciente me grita. Penso depois: não só para corrigir, como para justificar o que escrevi. Daí a razão deste Prefácio interessantíssimo.

*

5 Aliás muito difícil nesta prosa saber onde termina a blague, onde principia a seriedade. Nem eu sei.

*

6 E desculpe-me por estar tão atrasado dos movimentos artísticos atuais. Sou passadista, confesso. Ninguém pode se libertar duma só vez das teorias-avós que bebeu; e o autor deste livro seria hipócrita se pretendesse representar orientação moderna que ainda não compreende bem.

*

7 Livro evidentemente impressionista. Ora, segundo modernos, erro grave o Impressionismo.
Os arquitetos fogem do gótico como da arte nova, filiando-se, para além dos tempos históricos, nos volumes elementares: cubo, esfera, etc. Os pintores desdenham Delacroix como Whistler, para se apoiarem na calma construtiva de Rafael, de Ingres, do Greco. Na escultura Rodin é ruim, os imaginários africanos são bons. Os músicos desprezam Debussy, genuflexos diante da polifonia catedralesca de Palestrina e João Sebastião Bach. A poesia... "tende a despojar o homem de todos os seus aspectos contingen-

tes e efêmeros, para apanhar nele a humanidade”... Sou passadista, confesso.

*

**8** “Este Alcorão nada mais é que uma embrulhada de sonhos confusos e incoerentes. Não é inspiração provinda de Deus, mas criada pelo autor. Maomé não é profeta, é um homem que faz versos. Que se apresente com algum sinal revelador do seu destino, como os antigos profetas”. Talvez digam de mim o que disseram do criador de Alá. Diferença cabal entre nós dois: Maomé apresentava-se como profeta; julguei mais conveniente apresentar-me como louco.

*

**9** Você já leu São João Evangelista? Walt Whitman? Mallarmé? Verhaeren?

*

**10** Perto de dez anos metrifiquei, rimei. Exemplo?

## Artista

O meu desejo é ser pintor – Lionardo,
cujo ideal em piedades se acrisola;
fazendo abrir-se ao mundo a ampla corola
do sonho ilustre que em meu peito guardo...

Meu anseio é, trazendo ao fundo pardo
da vida, a cor da veneziana escola,
dar tons de rosa e de ouro, por esmola,
a quanto houver de penedia ou cardo.

Quando encontrar o manancial das tintas
e os pincéis exaltados com que pintas,
Veronese! teus quadros e teus frisos,

irei morar onde as Desgraças moram;
e viverei de colorir sorrisos
nos lábios dos que imprecam ou que choram!

*

**11** Os srs. Laurindo de Brito, Martins Fontes, Paulo Setúbal, embora não tenham evidentemente a envergadura de Vicente de Carvalho ou de Francisca Júlia, publicam seus versos. E fazem muito bem. Podia, como eles, publicar meus versos metrificados.

*

**12** Não sou futurista (de Marinetti). Disse e repito-o. Tenho pontos de contato com o futurismo. Oswald de Andrade, chamando-me de futurista, errou. A culpa é minha. Sabia da existência do artigo e deixei que saísse. Tal foi o escândalo, que desejei a morte do mundo. Era vaidoso. Quis sair da obscuridade. Hoje tenho orgulho. Não me pesaria reentrar na obscuridade. Pensei que se discutiriam minhas ideias (que nem são minhas): discutiram minhas intenções. Já agora não me calo. Tanto ridicularizariam meu silêncio como esta grita. Andarei a vida de braços no ar, como o *Indiferente* de Watteau.

*

**13** “Alguns leitores ao lerem estas frases (poesia citada) não compreenderam logo. Creio mesmo que é impossível compreender inteiramente à primeira leitura pensamentos assim esquematizados sem uma certa prática. Nem é nisso que um poeta pode queixar-se dos seus leitores. No que estes se tornam condenáveis é em não pensar que um autor que assina não escreve asnidades pelo simples prazer de experimentar tinta; e que, sob essa extravagância aparente havia um sentido porventura interessantíssimo, que havia qualquer coisa por compreender”. João Epstein.

*

**14** Há neste mundo um senhor chamado Zdislas Milner. Entretanto escreveu isto: “O fato duma obra se afastar de preceitos e regras aprendidas, não dá a medida do seu valor”. Perdoe-me dar algum valor a meu livro. Não há pai que, sendo pai, abandone o filho corcunda que se afoga, para salvar o lindo herdeiro do vizinho. A ama de leite do conto foi uma grandíssima cabotina desnaturada.

*

**15** Todo escritor acredita na valia do que escreve. Si mostra é por vaidade. Si não mostra é por vaidade também.

*

**16** Não fujo do ridículo. Tenho companheiros ilustres.

*

17 O ridículo é muitas vezes subjetivo. Independe do maior ou menor alvo de quem o sofre. Criamo-lo para vestir com ele quem fere nosso orgulho, ignorância, esterilidade.

*

18 Um pouco de teoria?

Acredito que o lirismo, nascido no subconsciente, acrisolado num pensamento claro ou confuso, cria frases que são versos inteiros, sem prejuízo de medir tantas sílabas, com acentuação determinada. Entroncamento é sueto para os condenados da prisão alexandrina. Há porém raro exemplo dele neste livro. Uso de cachimbo...

*

19 A inspiração é fugaz, violenta. Qualquer empecilho a perturba e mesmo emudece. Arte, que, somada a Lirismo, dá Poesia[1], não consiste em prejudicar a doida carreira do estado lírico para avisá-lo das pedras e cercas de arame do caminho. Deixe que tropece, caia e se fira. Arte é mondar mais tarde o poema de repetições fastientas, de sentimentalidades românticas, de pormenores inúteis ou inexpressivos.

*

20 Que Arte não seja porém limpar versos de exageros coloridos. Exagero: símbolo sempre novo da vida como do sonho. Por ele vida e sonho se irmanam. E, consciente, não é defeito, mas meio legítimo de expressão.

*

1. Lirismo + Arte = Poesia, fórmula de P. Dermée.

21 "O vento senta no ombro das tuas velas!" Shakespeare. Homero já escrevera que a terra mugia debaixo dos pés de homens e cavalos. Mas você deve saber que há milhões de exageros na obra dos mestres.

*

22 Taine disse que o ideal dum artista consiste em "apresentar, mais que os próprios objetos, completa e claramente qualquer característica essencial e saliente deles, por meio de alterações sistemáticas das relações naturais entre as suas partes, de modo a tornar essa característica mais visível e dominadora". O sr. Luís Carlos, porém, reconheço que tem o direito de citar o mesmo em defesa das suas "Colunas".

*

23 Já raciocinou sobre o chamado "belo horrível"? É pena. O belo horrível é uma escapatória criada pela dimensão da orelha de certos filósofos para justificar a atração exercida, em todos os tempos, pelo feio sobre os artistas. Não me venham dizer que o artista, reproduzindo o feio, o horrível, faz obra bela. Chamar de belo o que é feio, horrível, só porque está expressado com grandeza, comoção, arte, é desvirtuar ou desconhecer o conceito da beleza. Mas feio = pecado... Atrai. Anita Malfatti falava-me outro dia no encanto sempre novo do feio. Ora Anita Malfatti ainda não leu Emílio Bayard: "O fim lógico dum quadro é ser agradável de ver. Todavia comprazem-se os artistas em exprimir o singular encanto da feiura. O artista sublima tudo".

*

24 Belo da arte: arbitrário, convencional, transitório – questão de moda. Belo da natureza: imutável, objetivo, natural – tem a eternidade que a natureza tiver. Arte não consegue reproduzir natureza, nem este é seu fim. Todos os grandes artistas, ora consciente (Rafael das Madonas, Rodin do *Balzac*, Beethoven da *Pastoral*, Machado de Assis do *Brás Cubas*), ora inconscientemente (a grande maioria) foram deformadores da natureza. Donde infiro que o belo artístico será tanto mais artístico, tanto mais subjetivo quanto mais se afastar do belo natural. Outros infiram o que quiserem. Pouco me importa.

*

25 Nossos sentidos são frágeis. A percepção das coisas exteriores é fraca, prejudicada por mil véus, provenientes das nossas taras físicas e morais: doenças, preconceitos, indisposições, antipatias, ignorâncias, hereditariedade, circunstâncias de tempo, de lugar, etc... Só idealmente podemos conceber os objetos como os atos na sua inteireza bela ou feia. A arte que, mesmo tirando os seus temas do mundo objetivo, desenvolve-se em comparações afastadas, exageradas, sem exatidão aparente, ou indica os objetos, como um universal, sem delimitação qualificativa nenhuma, tem o poder de nos conduzir a essa idealização livre, musical. Esta idealização livre, subjetiva, permite criar todo um ambiente de realidades ideais onde sentimentos, seres e coisas, belezas e defeitos se apresentam na sua plenitude heroica, que ultrapassa a defeituosa percepção dos sentidos. Não sei que futurismo pode existir em quem quase perfilha a concepção estética de Fichte.

Fujamos da natureza! Só assim a arte não se ressentirá da ridícula fraqueza da fotografia... colorida.

*

26 Não acho mais graça nenhuma nisso da gente submeter comoções a um leito de Procusto para que obtenham, em ritmo convencional, número convencional de sílabas. Já, primeiro livro, usei indiferentemente, sem obrigação de retorno periódico, os diversos metros pares. Agora liberto-me também desse preconceito. Adquiro outros. Razão para que me insultem?

*

27 Mas não desdenho balouços dançarinos de redondilhas e decassílabos. Acontece a comoção caber neles. Entram pois às vezes no cabaré rítmico dos meus versos. Nesta questão de metros não sou aliado; sou como a Argentina: enriqueço-me.

*

28 Sobre a ordem? — Repugna-me, com efeito, o que Musset chamou:
"L'art de servir à point un dénouement bien cuit".

*

29 Existe a ordem dos colegiais infantes que saem das escolas de mãos dadas, dois a dois. Existe uma ordem nos estudantes das escolas superiores que descem uma escada de quatro em quatro degraus, chocando-se lindamente. Existe uma ordem, inda mais alta, na fúria desencadeada dos elementos.

*

30 Quem leciona História do Brasil obedecerá a uma ordem que, certo, não consiste em estudar a guerra do Paraguai antes do ilustre acaso de Pedro Álvares. Quem canta seu subconsciente seguirá a ordem imprevista das comoções, das associações de imagens, dos contatos exteriores. Acontece que o tema às vezes descaminha.

*

31 O impulso lírico clama dentro de nós como turba enfuriada. Seria engraçadíssimo que a esta se dissesse:
"Alto lá! Cada qual berre por sua vez; e quem tiver o argumento forte, guarde-o para o fim!" A turba é confusão aparente. Quem souber afastar-se idealmente dela, verá o imponente desenvolver-se dessa alma coletiva, falando a retórica exata das reivindicações.

*

32 Minhas reivindicações? Liberdade. Uso dela; não abuso. Sei embridá-la nas minhas verdades filosóficas e religiosas; porque verdades filosóficas, religiosas, não são convencionais como a Arte, são verdades. Tanto não abuso! Não pretendo obrigar ninguém a seguir-me. Costumo andar sozinho.

*

33 Virgílio, Homero, não usaram rima. Virgílio, Homero, têm assonâncias admiráveis.

*

34 A língua brasileira é das mais ricas e sonoras.
E possui o admirabilíssimo "ão".

*

35 Marinetti foi grande quando redescobriu o poder sugestivo, associativo, simbólico, universal, musical da palavra em liberdade. Aliás: velha como Adão. Marinetti errou: fez dela sistema. É apenas auxiliar poderosíssimo. Uso palavras em liberdade. Sinto que o meu copo é grande demais para mim, e inda bebo no copo dos outros.

*

36 Sei construir teorias engenhosas. Quer ver?

A poética está muito mais atrasada que a música. Esta abandonou, talvez mesmo antes do século 8, o regime da melodia quando muito oitavada, para enriquecer-se com os infinitos recursos da harmonia. A poética, com rara exceção até meados do século 19 francês, foi essencialmente melódica. Chamo de verso melódico o mesmo que melodia musical: arabesco horizontal de vozes (sons) consecutivas, contendo pensamento inteligível.

Ora, se em vez de unicamente usar versos melódicos horizontais:

"Mnezarete, a divina, a pálida Frineia,
Comparece ante a austera e rígida assembleia
Do Areópago supremo..."

fizermos que se sigam palavras sem ligação imediata entre si: estas palavras, pelo fato mesmo de se não seguirem intelectual, gramaticalmente, se sobrepõem umas às outras, para a nossa sensação, formando, não mais melodias, mas harmonias.

Explico milhor:

Harmonia: combinação de sons simultâneos. Exemplo:

"Arroubos... Lutas... Setas... Cantigas... Povoar!..."

Estas palavras não se ligam. Não formam enumeração. Cada uma é frase, período elíptico, reduzido ao mínimo telegráfico. Se pronuncio "Arroubos", como não faz parte de frase (melodia), a palavra chama a atenção para seu insulamento e fica vibrando, à espera duma frase que lhe faça adquirir significado e QUE NÃO VEM. "Lutas" não dá conclusão alguma a "Arroubos"; e, nas mesmas condições, não fazendo esquecer a primeira palavra, fica vibrando com ela. As outras vozes fazem o mesmo. Assim: em vez de melodia (frase gramatical) temos acorde arpejado, harmonia, – o verso harmônico.

Mas, si em vez de usar só palavras soltas, uso frases soltas: mesma sensação de superposição, não já de palavras (notas) mas de frases (melodias). Portanto: polifonia poética. Assim, em *Pauliceia desvairada* usam-se o verso melódico:

"São Paulo é um palco de bailados russos";

o verso harmônico:

"A cainçalha... A Bolsa... As jogatinas...";

e a polifonia poética (um e às vezes dois e mesmo mais versos consecutivos):

"A engrenagem trepida... A bruma neva..."

Que tal? Não se esqueça porém que outro virá destruir tudo isto que construí.

Para ajuntar à teoria:

1°

37 Os gênios poéticos do passado conseguiram dar maior interesse ao verso melódico, não só criando-o mais belo, como fazendo-o

mais variado, mais comotivo, mais imprevisto. Alguns mesmo conseguiram formar harmonias, por vezes ricas. Harmonias porém inconscientes, esporádicas. Provo inconsciência: Victor Hugo, muita vez harmônico, exclamou depois de ouvir o quarteto do *Rigoletto*: "Façam que possa combinar simultaneamente várias frases e verão de que sou capaz". Encontro anedota em Galli, *Estética musical*. Se non é vero...

2°

**38** Há certas figuras de retórica em que podemos ver embrião da harmonia oral, como na lição das sinfonias de Pitágoras encontramos germe da harmonia musical. Antítese – genuína dissonância. E si tão apreciada é justo porque poetas como músicos, sempre sentiram o grande encanto da dissonância, de que fala G. Migot.

3°

**39** Comentário à frase de Hugo. Harmonia oral não se realiza, como a musical, nos sentidos, porque palavras não se fundem como sons, antes baralham-se, tornam-se incompreensíveis. A realização da harmonia poética efetua-se na inteligência. A compreensão das artes do tempo nunca é imediata, mas mediata. Na arte do tempo coordenamos atos de memória consecutivos, que assimilamos num todo final. Este todo, resultante de estados de consciência sucessivos, dá a compreensão final, completa da música, poesia, dança terminada. Victor Hugo errou querendo realizar objetivamente o que se realiza subjetivamente, dentro de nós.

4°

**40** Os psicólogos não admitirão a teoria... É responder-lhes com o "Só-quem-ama" de Bilac. Ou com os versos de Heine de que Bilac tirou o "Só-quem-ama". Entretanto: se você já teve por acaso na vida um acontecimento forte, imprevisto (já teve, naturalmente) recorde-se do tumulto desordenado das muitas ideias que nesse momento lhe tumultuaram no cérebro. Essas ideias, reduzidas ao mínimo telegráfico da palavra, não se continuavam, porque não faziam parte de frase alguma, não tinham resposta, solução, continuidade. Vibravam, ressoavam, amontoavam-se, sobrepunham-se. Sem ligação, sem concordância aparente – embora nascidas do mesmo acontecimento – formavam, pela sucessão rapidíssima, verdadeira simultaneidade, verdadeiras harmonias acompanhando a melodia enérgica e larga do acontecimento.

5°

**41** Bilac, *Tarde*, é muitas vezes tentativa de harmonia poética. Daí, em parte ao menos, o estilo novo do livro. Descobriu, para a língua brasileira, a harmonia poética, antes dele empregada raramente (Gonçalves Dias, genialmente, na cena de luta, "I-Juca-Pirama"). O defeito de Bilac foi não metodizar o invento; tirar dele todas as consequências. Explica-se historicamente seu defeito: *Tarde* é um apogeu. As decadências não vêm depois dos apogeus. O apogeu já é decadência, porque sendo estagnação não pode conter em si um progresso, uma evolução ascensional. Bilac representa uma fase destrutiva da poesia; porque toda perfeição em arte significa destruição. Imagino o seu susto, leitor, lendo isto. Não tenho tempo para explicar: estude si quiser. O nosso primitivismo representa uma nova fase construtiva. A nós compete esquematizar, metodizar as lições do passado.

Volto ao poeta. Ele fez como os criadores do Organum medieval: aceitou harmonias de quartas e de quintas desprezando terceiras, sextas, todos os demais intervalos. O número das suas harmonias é muito restrito. Assim,

"[...] o ar e o chão, a fauna e a flora,
a erva e o pássaro, a pedra e o tronco, os ninhos e a hera,
a água e o réptil, a folha e o inseto, a flor e a fera"

dá impressão duma longa, monótona série de quintas medievais, fastidiosa, excessiva, inútil, incapaz de sugestionar o ouvinte e dar-lhe a sensação do crepúsculo na mata[2].

*

**42** Lirismo: estado efetivo sublime – vizinho da sublime loucura. Preocupação de métrica e de rima prejudica a naturalidade livre do lirismo objetivado. Por isso poetas sinceros confessam nunca ter escrito seus milhores versos. Rostand por exemplo; e, entre nós, mais ou menos, o sr. Amadeu Amaral. Tenho a felicidade de escrever meus milhores versos. Milhor do que isso não posso fazer.

*

2. Há 6 ou 8 meses expus esta teoria aos meus amigos. Recebo agora, dezembro, número 11 e 12, novembro, da revista *Esprit Nouveau*. Aliás *Esprit Nouveau*: minhas andas neste Prefácio interessantíssimo. Epstein, continuando estudo "O fenômeno literário" observa o harmonismo moderno, a que denomina simultaneísmo. Acho-o interessante, mas diz que é "utopia fisiológica". Epstein no mesmo erro de Hugo.

**43** Ribot disse algures que inspiração é telegrama cifrado transmitido pela atividade inconsciente à atividade consciente que o traduz. Essa atividade consciente pode ser repartida entre poeta e leitor. Assim aquele não escorcha e esmiuça friamente o momento lírico; e bondosamente concede ao leitor a glória de colaborar nos poemas.

*

**44** "A linguagem admite a forma dubitativa que o mármore não admite". Renan.

*

**45** "Entre o artista plástico e o músico está o poeta, que se avizinha do artista plástico com a sua produção consciente, enquanto atinge as possibilidades do músico no fundo obscuro do inconsciente". De Wagner.

*

**46** Você está reparando de que maneira costumo andar sozinho...

*

**47** Dom Lirismo, ao desembarcar do Eldorado do Inconsciente no cais da terra do Consciente, é inspecionado pela visita médica, a Inteligência, que o alimpa dos macaquinhos e de toda e qualquer doença que possa espalhar confusão, obscuridade na terrinha progressista. Dom Lirismo sofre mais uma visita alfandegária, descoberta por Freud, que a denominou Censura. Sou contrabandista! E contrário à lei da vacina obrigatória.

*

48 Parece que sou todo instinto... Não é verdade. Há no meu livro, e não me desagrada, tendência pronunciadamente intelectualista. Que quer você? Consigo passar minhas sedas sem pagar direitos. Mas é psicologicamente impossível livrar-me das injeções e dos tônicos.

*

49 A gramática apareceu depois de organizadas as línguas. Acontece que meu inconsciente não sabe da existência de gramáticas, nem de línguas organizadas. E como Dom Lirismo é contrabandista...

*

50 Você perceberá com facilidade que si na minha poesia a gramática às vezes é desprezada, graves insultos não sofre neste prefácio interessantíssimo. Prefácio: rojão do meu eu superior. Versos: paisagem do meu eu profundo.

*

51 Pronomes? Escrevo brasileiro. Se uso ortografia portuguesa é porque, não alterando o resultado, dá-me uma ortografia.

*

52 Escrever arte moderna não significa jamais para mim representar a vida atual no que tem de exterior: automóveis, cinema, asfalto. Si estas palavras frequentam-me o livro não é porque pense com

elas escrever moderno, mas porque sendo meu livro moderno, elas têm nele sua razão de ser.

*

53 Sei mais que pode ser moderno artista que se inspire na Grécia de Orfeu ou na Lusitânia de Nun'Álvares. Reconheço mais a existência de temas eternos, passíveis de afeiçoar pela modernidade: universo, pátria, amor e a presença-dos-ausentes, ex-gozo-amargo-de-infelizes.

*

54 Não quis também tentar primitivismo vesgo e insincero. Somos na realidade os primitivos duma era nova. Esteticamente: fui buscar entre as hipóteses feitas por psicólogos, naturalistas e críticos sobre os primitivos das eras passadas, expressão mais humana e livre de arte.

*

55 O passado é lição para se meditar, não para reproduzir.
"E tu che se' costì, anima viva,
Partiti da cotesti che son morti".

*

56 Por muitos anos procurei-me a mim mesmo. Achei. Agora não me digam que ando à procura da originalidade, porque já descobri onde ela estava, pertence-me, é minha.

*

**57** Quando uma das poesias deste livro foi publicada, muita gente me disse: “Não entendi”. Pessoas houve porém que confessaram: “Entendi, mas não senti”. Os meus amigos... percebi mais duma vez que sentiam, mas não entendiam. Evidentemente meu livro é bom.

*

**58** Escritor de nome disse dos meus amigos e de mim que ou éramos gênios ou bestas. Acho que tem razão. Sentimos, tanto eu como meus amigos, o anseio do farol. Si fôssemos tão carneiros a ponto de termos escola coletiva, esta seria por certo o “Farolismo”. Nosso desejo: alumiar. A extrema-esquerda em que nos colocamos não permite meio-termo. Si gênios: indicaremos o caminho a seguir; bestas: naufrágios por evitar.

*

**59** Canto da minha maneira. Que me importa si me não entendem? Não tenho forças bastantes para me universalizar? Paciência. Com o vário alaúde que construí, me parto por essa selva selvagem da cidade. Como o homem primitivo cantarei a princípio só. Mas canto é agente simpático: faz renascer na alma dum outro predisposto ou apenas sinceramente curioso e livre, o mesmo estado lírico provocado em nós por alegrias, sofrimentos, ideais. Sempre hei-de achar também algum, alguma que se embalarão à cadência libertária dos meus versos. Nesse momento: novo Anfião moreno e caixa-d’óculos, farei que as próprias pedras se reúnam em muralhas à magia do meu cantar. E dentro dessas muralhas esconderemos nossa tribo.

*

**60** Minha mão escreveu a respeito deste livro que "não tinha e não tem nenhuma intenção de o publicar". *Jornal do Comércio*, 6 de junho. Leia frase de Gourmont sobre contradição: 1o volume das *Promenades littéraires*. Rui Barbosa tem sobre ela página lindíssima, não me recordo onde. Há umas palavras também em João Cocteau, *La noce massacrée*.

*

**61** Mas todo este prefácio, com todo o disparate das teorias que contém, não vale coisíssima nenhuma. Quando escrevi *Pauliceia desvairada* não pensei em nada disto. Garanto porém que chorei, que cantei, que ri, que berrei... Eu vivo!

*

**62** Aliás versos não se escrevem para leitura de olhos mudos. Versos cantam-se, urram-se, choram-se. Quem não souber cantar não leia "Paisagem n. 1". Quem não souber urrar não leia "Ode ao burguês". Quem não souber rezar, não leia "Religião". Desprezar: "A escalada". Sofrer: "Colloque sentimental". Perdoar: a cantiga do berço, um dos solos de "Minha Loucura", das "Enfibraturas do Ipiranga". Não continuo. Repugna-me dar a chave de meu livro. Quem for como eu tem essa chave.

*

**63** E está acabada a escola poética "Desvairismo".

*

**64** Próximo livro fundarei outra.

*

**65** E não quero discípulos. Em arte: escola = imbecilidade de muitos para vaidade dum só.

*

**66** Poderia ter citado Gorch Fock. Evitava o "Prefácio interessantíssimo". "Toda canção de liberdade vem do cárcere".

# Pauliceia desvairada

(DEZEMBRO DE 1920

A

DEZEMBRO DE 1921)

# Inspiração

"Onde até na força do verão havia tempestades
de ventos e frios de crudelíssimo inverno."

Fr. Luís de Sousa

São Paulo! Comoção de minha vida...
Os meus amores são flores feitas de original!...
Arlequinal!... Traje de losangos... Cinza e ouro...
Luz e bruma... Forno e inverno morno...
5 Elegâncias sutis sem escândalos, sem ciúmes...
Perfumes de Paris... Arys!
Bofetadas líricas no Trianon... Algodoal!...

São Paulo! Comoção de minha vida...
Galicismo a berrar nos desertos da América!

# O trovador

Sentimentos em mim do asperamente
dos homens das primeiras eras...
As primaveras de sarcasmo
intermitentemente no meu coração arlequinal...
5 Intermitentemente...
Outras vezes é um doente, um frio
na minha alma doente como um longo som redondo...
Cantabona! Cantabona!
Dlorom...

10 Sou um tupi tangendo um alaúde!

# Os cortejos

Monotonias das minhas retinas...
Serpentinas de entes frementes a se desenrolar...
Todos os sempres das minhas visões! "Bon giorno, caro".

Horríveis as cidades!
5 Vaidades e mais vaidades...
Nada de asas! Nada de poesia! Nada de alegria!
Oh! os tumultuários das ausências!
Pauliceia – a grande boca de mil dentes;
e os jorros dentre a língua trissulca
10 de pus e de mais pus de distinção...

Giram homens fracos, baixos, magros...
Serpentinas de entes frementes a se desenrolar...

Estes homens de São Paulo,
todos iguais e desiguais,
15 quando vivem dentro dos meus olhos tão ricos,
parecem-me uns macacos, uns macacos.

# A escalada

(Maçonariamente.)
— Alcantilações!... Ladeiras sem conto!...
Estas cruzes, estas crucificações da honra!...
— Não há ponto final no morro das ambições.
5 As bebedeiras do vinho dos aplaudires...
Champanhações... Cospe os fardos!

(São Paulo é trono.) — E as imensidões das escadarias!...
— Queres te assentar no píncaro mais alto? Catedral?...
— Estas cadeias da virtude!...
10 — Tripinga-te! (Os empurrões dos braços em segredo.)
Principiarás escravo, irás a Chico-Rei!

(Há fita de série no Colombo,
*O empurrão na escuridão*. Filme nacional.)
— Adeus lírios do Cubatão para os que andam sozinhos!
15 (Sono tre tustune per i ragazzini.)
— Estes mil quilos da crença!...
— Tripinga-te. Alcançarás o sólio e o sol sonante!
Cospe os fardos! Cospe os fardos!
Vê que facilidade as tais asas?...
20 (Toca a banda do Fieramosca: Pa, pa, pa, pum!
Toca a banda da polícia: Ta, ra, ta, tchim!)
És rei! Olha o rei nu!
Que é dos teus fardos, Hermes Pança?!

– Deixei-os lá nas margens das escadarias,
25 Onde nas violetas corria o rio dos olhos de minha mãe...
– Sossega. És rico, és grandíssimo, és monarca!
Alguém agora t'os virá trazer.

(E ei-lo na curul do vesgo Olho-na-Treva.)

# Rua de São Bento

Triângulo.

Há navios de vela para os meus naufrágios!
E os cantares da uiara rua de São Bento...

Entre estas duas ondas plúmbeas de casas plúmbeas,
5 as minhas delícias das asfixias da alma!
Há leilão. Há feira de carnes brancas. Pobres arrozais!
Pobres brisas sem pelúcias lisas a alisar!
A cainçalha... A Bolsa... As jogatinas...

Não tenho navios de vela para mais naufrágios!
10 Faltam-me as forças! Falta-me o ar!
Mas qual! Não há sequer um porto morto!
"Can you dance the tarantella?" – "Ach! ya".
São as califórnias duma vida milionária
numa cidade arlequinal...

15 O Clube Comercial... A Padaria Espiritual...
Mas a desilusão dos sombrais amorosos
põe *majoration temporaire*, 100% nt!...

Minha Loucura, acalma-te!
Veste o *water-proof* dos housebréns!
20 Nem chegarás tão cedo
à fábrica de tecidos dos teus êxtases;
telefone: Além, 3991...
Entre estas duas ondas plúmbeas de casas plúmbeas,
vê, lá nos muito-ao-longes do horizonte,
25 a sua chaminé de céu azul!

# O rebanho

Oh! Minhas alucinações!
Vi os deputados, chapéus altos,
Sob o pálio vesperal, feito de mangas-rosas,
Saírem de mãos dadas do Congresso...
5 Como um possesso num acesso em meus aplausos
Aos salvadores do meu estado amado!...

Desciam, inteligentes, de mãos dadas,
Entre o trepidar dos táxis vascolejantes,
A rua Marechal Deodoro...
10 Oh! Minhas alucinações!
Como um possesso num acesso em meus aplausos
Aos heróis do meu estado amado!...

E as esperanças de ver tudo salvo!
Duas mil reformas, três projetos...
15 Emigram os futuros noturnos...
E verde, verde, verde!...
Oh! Minhas alucinações!
Mas os deputados, chapéus altos,
Mudavam-se pouco a pouco em cabras!

20 Crescem-lhes os cornos, descem-lhes as barbinhas...
E vi que os chapéus altos do meu estado amado,
Com os triângulos de madeira no pescoço,
Nos verdes esperanças, sob as franjas de ouro da tarde,
Se punham a pastar
25 Rente do palácio do senhor presidente...
Oh! Minhas alucinações!

# Tietê

Era uma vez um rio...

Porém os Borbas-Gatos dos ultranacionais esperiamente!

Havia nas manhãs cheias de sol do entusiasmo

as monções da ambição...

5 E as gigânteas vitórias!

As embarcações singravam rumo do abismal Descaminho...

Arroubos... Lutas... Setas... Cantigas... Povoar!

Ritmos de Brecheret!... E a santificação da morte!

Foram-se os outros!... E o hoje da turmalinas!...

10 – Nadador! vamos partir pela via dum Mato Grosso?

– Io! Mai!.. (Mais dez braçadas.

Quina Migone. Hat Stores. Meia de seda.)

Vado a pranzare con la Ruth.

# Paisagem nº 1

Minha Londres das neblinas finas!

Pleno verão. Os dez mil milhões de rosas paulistanas.

Há neve de perfumes no ar.

Faz frio, muito frio...

5 E a ironia das pernas das costureirinhas

Parecidas com bailarinas...

O vento é como uma navalha

Nas mãos dum espanhol. Arlequinal!...

Há duas horas queimou sol.

10 Daqui a duas horas queima sol.

Passa um São Bobo, cantando, sob os plátanos,

Um tralalá... A guarda cívica! Prisão!

Necessidade a prisão

Para que haja civilização?

15 Meu coração sente-se muito triste...

Enquanto o cinzento das ruas arrepiadas

Dialoga um lamento com o vento...

Meu coração sente-se muito alegre!
Este friozinho arrebitado

20 Dá uma vontade de sorrir!
E sigo. E vou sentindo,
À inquieta alacridade da invernia,
Como um gosto de lágrimas na boca...

# Ode ao burguês

Eu insulto o burguês! O burguês-níquel,
O burguês-burguês!
A digestão bem feita de São Paulo!
O homem-curva! o homem-nádegas!
5 O homem que sendo francês, brasileiro, italiano,
É sempre um cauteloso pouco a pouco!

Eu insulto as aristocracias cautelosas!
Os barões lampiões! os condes Joões! os duques zurros!
Que vivem dentro de muros sem pulos;
10 E gemem sangue de alguns milréis fracos
Para dizerem que as filhas da senhora falam o francês
E tocam o *Printemps* com as unhas!

Eu insulto o burguês-funesto!
O indigesto feijão com toucinho, dono das tradições!
15 Fora os que algarismam os amanhãs!
Olha a vida dos nossos setembros!
Fará sol? Choverá? Arlequinal!
Mas à chuva dos rosais
O êxtase fará sempre sol!

20 Morte à gordura!
Morte às adiposidades cerebrais!
Morte ao burguês-mensal!
Ao burguês-cinema! Ao burguês-tílburi!

Padaria Suíça! Morte viva ao Adriano!
25 "– Ai, filha, que te darei pelos teus anos?
– Um colar... – Conto e quinhentos!!!
Mas nós morremos de fome!"

Come! Come-te a ti mesmo, oh! gelatina pasma!
Oh! *purée* de batatas morais!
30 Oh! cabelos nas ventas! oh! carecas!
Ódio aos temperamentos regulares!
Ódio aos relógios musculares! Morte e infâmia!
Ódio à soma! Ódio aos secos e molhados!
Ódio aos sem desfalecimentos nem arrependimentos,
35 Sempiternamente as mesmices convencionais!
De mãos nas costas! Marco eu o compasso! Eia!
Dois a dois! Primeira posição! Marcha!
Todos para a Central do meu rancor inebriante!

Ódio e insulto! Ódio e raiva! Ódio e mais ódio!
40 Morte ao burguês de giolhos,
Cheirando religião e que não crê em Deus!
Ódio vermelho! Ódio fecundo! Ódio cíclico!
Ódio fundamento, sem perdão!

Fora! Fu! Fora o bom burguês!...

# Tristura

"Une rose dans les ténèbres"
Mallarmé

Profundo. Imundo meu coração...
Olha o edifício: Matadouros da Continental.
Os vícios viciaram-me na bajulação sem sacrifícios...
Minha alma corcunda como a avenida São João...

5 E dizem que os polichinelos são alegres!
Eu nunca em guizos nos meus interiores arlequinais!...

Pauliceia, minha noiva... Há matrimônios assim...
Ninguém os assistirá nos jamais!

As permanências de ser um na febre!

10 Nunca nos encontramos...
Mas há *rendez-vous* na meia-noite do Armenonville...

E tivemos uma filha, uma só...
Batismos do sr. cura Bruma;
água-benta das garoas monótonas...
15 Registei-a no cartório da Consolação...
Chamei-a Solitude das Plebes...

Pobres cabelos cortados da nossa monja!

# Domingo

Missas de chegar tarde, em rendas,
e dos olhares acrobáticos...
Tantos telégrafos sem fio!
Santa Cecília regorgita de corpos lavados
5 e de sacrilégios picturais...
Mas Jesus Cristo nos desertos,
mas o sacerdote no "Confiteor"... Contrastar!
— Futilidade, civilização...

Hoje quem joga?... O Paulistano.
10 Para o Jardim América das rosas e dos pontapés!
Friedenreich fez gol! Corner! Que juiz!
Gostar de Bianco? Adoro. Qual Bartô...
E o meu xará maravilhoso!...
— Futilidade, civilização...

15 Mornamente em gasolinas... Trinta e cinco contos!
Tens dez milréis? Vamos ao corso...
E filar cigarros a quinzena inteira...
Ir ao corso é lei. Viste Marília?
E Filis? Que vestido: pele só!

20 Automóveis fechados... Figuras imóveis...
O bocejo do luxo... Enterro.
E também as famílias dominicais por atacado,
entre os convenientes perenemente...
— Futilidade, civilização.

25 Central. Drama de adultério.
A Bertini arranca os cabelos e morre.
Fugas... Tiros... Tom Mix!
Amanhã fita alemã... de beiços...
As meninas mordem os beiços pensando em fita alemã...
30 As romas de Petrônio...
E o leito virginal... Tudo azul e branco!
Descansar... Os anjos... Imaculado!
As meninas sonham masculinidades...
— Futilidade, civilização.

# O domador

Alturas da Avenida. Bonde 3.
Asfaltos. Vastos, altos repuxos de poeira
Sob o arlequinal do céu ouro-rosa-verde...
As sujidades implexas do urbanismo.

5 *Filets* de manuelino. Calvícies de Pensilvânia.
Gritos de goticismo.
Na frente o *tram* da irrigação,
Onde um Sol bruxo se dispersa
Num triunfo persa de esmeraldas, topázios e rubis...
10 Lânguidos boticellis a ler Henry Bordeaux
Nas clausuras sem dragões dos torreões...

Mário, paga os duzentos réis.
São cinco no banco: um branco,
Um noite, um ouro,
15 Um cinzento de tísica e Mário...
Solicitudes! Solicitudes!

Mas... olhai, oh meus olhos saudosos dos ontens
Esse espetáculo encantado da Avenida!
Revivei, oh gaúchos paulistas ancestremente!

20 E oh cavalos de cólera sanguínea!
Laranja da China, laranja da China, laranja da China!
Abacate, cambucá e tangerina!
*Guardate*! Aos aplausos do esfusiante clown,
Heroico sucessor da raça heril dos bandeirantes,
25 Passa galhardo um filho de imigrante,
Louramente domando um automóvel!

# Anhangabaú

Parques do Anhangabaú nos fogaréus da aurora...
Oh larguezas dos meus itinerários...
Estátuas de bronze nu correndo eternamente,
num parado desdém pelas velocidades...
5 O carvalho votivo escondido nos orgulhos
do bicho de mármore parido no *Salon*...
Prurido de estesias perfumando em rosais
o esqueleto trêmulo do morcego...
Nada de poesia, nada de alegrias!...

10 E o contraste boçal do lavrador
que sem amor afia a foice...

Estes meus parques do Anhangabaú ou de Paris,
onde as tuas águas, onde as mágoas dos teus sapos?
"– Meu pai foi rei!
15 – Foi. – Não foi. – Foi. – Não foi."
Onde as tuas bananeiras?
Onde o teu rio frio encanecido pelos nevoeiros,
contando histórias aos sacis?...

Meu querido palimpsesto sem valor!
20 Crônica em mau latim
cobrindo uma écloga que não seja de Virgílio!...

# A caçada

A bruma neva... Clamor de vitórias e dolos...
Monte São Bernardo sem cães para os alvíssimos!
Cataclismos de heroísmos... O vento gela...
Os cinismos plantando o estandarte;
5 enviando para todo o universo
novas cartas-de-Vaz-Caminha!...
Os Abéis quase todos muito ruins
a escalar, em lama, a glória...
Cospe os fardos!

10 Mas sobre a turba adejam os cartazes de *Papel e Tinta*
como grandes mariposas de sonho queimando-se na luz...

E o maxixe do crime puladinho
na eternização dos três dias... Tripudiares gaios!...
Roubar... Vencer... Viver os respeitosamentes, no crepúsculo...

15 A velhice e a riqueza têm as mesmas cãs.
A engrenagem trepida... A bruma neva...
Uma síncope: a sereia da polícia
que vai prender um bêbedo no Piques...

Não há mais lugares no boa-vista triangular.
20 Formigueiro onde todos se mordem e devoram...
O vento gela... Fermentação de ódios egoísmos

para a caninha-do-Ó dos progredires...
Viva virgem vaga desamparada...
Malfadada! Em breve não será mais virgem

25 nem desamparada!
Terá o amparo de todos os desamparos!

Tossem: O Diário! A Plateia...
Lívidos doze-anos por um tostão
Também quero ler o aniversário dos reis...
30 Honra ao mérito! Os virtuosos hão-de sempre ser louvados
e retratificados...
Mais um crime na Mooca!
Os jornais estampam as aparências
dos grandes que fazem anos, dos criminosos que fazem danos...

35 Os quarenta-graus das riquezas! O vento gela...
Abandonos! Ideais pálidos!
Perdidos os poetas, os moços, os loucos!
Nada de asas! nada de poesia! nada de alegria!
A bruma neva... Arlequinal!
40 Mas viva o Ideal! God save the poetry!

— Abade Liszt da minha filha monja,
na Cadillac mansa e glauca da ilusão,
passa o Oswald de Andrade
mariscando gênios entre a multidão!...[3]

---

3. A última imagem está numa crônica rutilante de Hélios. Não houve plágio. Hélios repetiu legitimamente a frase já ouvida, e então lugar-comum entre nós, para caracterizar deliciosa mania do Oswald.

# Noturno

Luzes do Cambuci pelas noites de crime...
Calor!... E as nuvens baixas muito grossas,
Feitas de corpos de mariposas,
Rumorejando na epiderme das árvores...

5 Gingam os bondes como um fogo de artifício,
Sapateando nos trilhos,
Cuspindo um orifício na treva cor de cal...

Num perfume de heliotrópios e de poças
Gira uma flor-do-mal... Veio do Turquestã;
10 E traz olheiras que escurecem almas...
Fundiu esterlinas entre as unhas roxas
Nos oscilantes de Ribeirão Preto...

– Batat'assat'ô furnn!...

Luzes do Cambuci pelas noites de crime!...
15 Calor... E as nuvens baixas muito grossas,
Feitas de corpos de mariposas,
Rumorejando na epiderme das árvores...

Um mulato cor de ouro,
Com uma cabeleira feita de alianças polidas...

20 Violão! "Quando eu morrer..." Um cheiro pesado de baunilhas
Oscila, tomba e rola no chão...
Ondula no ar a nostalgia das Baías...

E os bondes passam como um fogo de artifício,
Sapateando nos trilhos,
25 Ferindo um edifício na treva cor de cal...

– Batat'assat'ô furnn!...

Calor!... Os diabos andam no ar
Corpos de nuas carregando...
As lassitudes dos sempres imprevistos!
30 E as almas acordando às mãos dos enlaçados!
Idílios sob os plátanos!...
E o ciúme universal às fanfarras gloriosas
De saias cor-de-rosa e gravatas cor-de-rosa!...

Balcões na cautela latejante, onde florem Iracemas
35 Para os encontros dos guerreiros brancos... Brancos?
E que os cães latam nos jardins!
Ninguém, ninguém, ninguém se importa!
Todos embarcam na Alameda dos Beijos da Aventura!
Mas eu... Estas minhas grades em girândolas de jasmins,
40 Enquanto as travessas do Cambuci nos livres
Da liberdade dos lábios entreabertos!...
Arlequinal! Arlequinal!
As nuvens baixas muito grossas,
Feitas de corpos de mariposas,

45 Rumorejando na epiderme das árvores...
Mas sobre estas minhas grades em girândolas de jasmins,
O estelário delira em carnagens de luz,
E meu céu é todo um rojão de lágrimas!...

E os bondes riscam como um fogo de artifício,
50 Sapateando nos trilhos,
Jorrando um orifício na treva cor de cal...

– Batat'assat'ô furnn!...

# Paisagem nº 2

Escuridão dum meio-dia de invernia...
Marasmos... Estremeções... Brancos...
O céu é toda uma batalha convencional de *confetti* brancos;
e as onças pardas das montanhas no longe...
5 Oh! para além vivem as primaveras eternas!

As casas adormecidas
parecem teatrais gestos dum explorador do polo
que o gelo parou no frio...

Lá para as bandas do Ipiranga as oficinas tossem...
10 Todos os estiolados são muito brancos.
Os invernos de Pauliceia são como enterros de virgem...
Italianinha, torna al tuo paese!

Lembras-te? As barcarolas dos céus azuis nas águas verdes...

Verde – cor dos olhos dos loucos!
15 As cascatas das violetas para os lagos...
Primaveral – cor dos olhos dos loucos!

Deus recortou a alma de Pauliceia
num cor de cinza sem odor...
Oh! para além vivem as primaveras eternas!...

20 Mas os homens passam sonambulando...
E rodando num bando nefário,
vestidas de eletricidade e gasolina,
as doenças jocotoam em redor...

Grande furacão ao ar livre!
25 Bailado de Cocteau com os barulhadores de Russolo!
Opus 1921.

São Paulo é um palco de bailados russos.
Sarabandam a tísica, a ambição, as invejas, os crimes
e também as apoteoses da ilusão...
30 Mas o Nijinsky sou eu!
E vem a Morte, minha Karsavina!
Quá, quá, quá! Vamos dançar o fox-trot da desesperança,
a rir, a rir dos nossos desiguais!

# Tu

Morrente chama esgalga,
Mais morta inda no espírito!
Espírito de fidalga,
Que vive dum bocejo entre dois galanteios
5 E de longe em longe uma chávena da treva bem forte!

Mulher mais longa
Que os pasmos alucinados
Das torres de São Bento!
Mulher feita de asfalto e de lamas de várzea,
10 Toda insultos nos olhos,
Toda convite nessa boca louca de rubores!

Costureirinha de São Paulo,
Ítalo-franco-luso-brasílico-saxônica,
Gosto dos seus crepusculares,
15 Crepusculares e por isso mais ardentes,
Bandeirantemente!

Lady Macbeth feita de névoa fina,
Pura neblina da manhã!
Mulher que és minha madrasta e minha mãe!

20 Trituração ascencional dos meus sentidos!
Risco de aeroplano entre Moji e Paris!
Pura neblina da manhã!

Gosto dos teus desejos de crime turco
E das tuas ambições retorcidas como roubos!
25 Amo-te de pesadelos taciturnos,
Materialização da Canaã do meu Poe...
Never more!

Emílio de Menezes insultou a memória do meu Poe...

Oh! Incendiária dos meus aléns sonoros!
30 Tu és o meu gato preto!
Tu me esmagaste nas paredes do meu sonho!
Este sonho medonho!...

E serás sempre, morrente chama esgalga,
Meio fidalga, meio barregã,
35 As alucinações crucificantes
De todas as auroras de meu jardim!

# Paisagem nº 3

Chove?
Sorri uma garoa cor de cinza,
Muito triste, como um tristemente longo...
A casa Kosmos não tem impermeáveis em liquidação...
5 Mas neste largo do Arouche
Posso abrir meu guarda-chuva paradoxal,
Este lírico plátano de rendas mar...

Ali em frente... – Mário, põe a máscara!
– Tens razão, minha Loucura, tens razão.
10 O rei de Tule jogou a taça ao mar...

Os homens passam encharcados...
Os reflexos dos vultos curtos
Mancham o *petit-pavé*...
As rolas da Normal
15 Esvoaçam entre os dedos da garoa...
(E se pusesse um verso de Crisfal
No De Profundis?...)
De repente
Um raio de Sol arisco
20 Risca o chuvisco ao meio.

# Colloque sentimental

Tenho os pés chagados nos espinhos das calçadas...
Higienópolis!... As Babilônias dos meus desejos baixos...
Casas nobres de estilo... Enriqueceres em tragédias...
Mas a noite é toda um véu-de-noiva ao luar!

5 A preamar dos brilhos das mansões...
O jazz-band da cor... O arco-íris dos perfumes...
O clamor dos cofres abarrotados de vidas...
Ombros nus, ombros nus, lábios pesados de adultério...
E o *rouge* – cogumelo das podridões...
10 Exércitos de casacas eruditamente bem talhadas...
Sem crimes, sem roubos o carnaval dos títulos...
Si não fosse o talco adeus sacos de farinha!
Impiedosamente...

— Cavalheiro... — Sou conde! — Perdão.
15 Sabe que existe um Brás, um Bom Retiro?

— Apre! respiro... Pensei que era pedido.
Só conheço Paris!

— Venha comigo então.
Esqueça um pouco os braços da vizinha...

20 – Percebeu, hein! Dou-lhe gorjeta e cale-se.
O sultão tem dez mil... Mas eu sou conde!

– Vê? Estas paragens trevas de silêncio...
Nada de asas, nada de alegria... A Lua...

A rua toda nua... As casas sem luzes...
25 E a mirra dos martírios inconscientes...

– Deixe-me pôr o lenço no nariz.
Tenho todos os perfumes de Paris!

– Mas olhe, embaixo das portas, a escorrer...
– Para os esgotos! Para os esgotos!

30 –... a escorrer,
Um fio de lágrimas sem nome!...

# Religião

Deus! Creio em Ti! Creio na tua Bíblia!

Não que a explicasse eu mesmo,
Porque a recebi das mãos dos que viveram as iluminações!

Catolicismo! Sem pinturas de Calixto!... As humildades...
5 No poço das minhas erronias
vi que reluzia a Lua dos teus perdoares!...

Rio-me dos Luteros parasitais
e dos orgulhos soezes que não sabem ser orgulhosos da Verdade;

e os maçóes, que são pecados vivos,
10 e que nem sabem ser Pecado!

Oh! Minhas culpas e meus tresvarios!
E as nobilitações dos meus arrependimentos
chovendo para a fecundação das Palestinas!
Confessar!...

15 Noturno em sangue do Jardim das Oliveiras!...

Naves de Santa Efigênia,
os meus joelhos criaram escudos de defesa contra vós!
Cantai como me arrastei por vós!

Dizei como me debrucei sobre vós!
20 Mas dos longínquos veio o Redentor!
E no poço sem fundo das minhas erronias
vi que reluzia a Lua dos seus perdoares!...

"Santa Maria, mãe de Deus..."
A minha mãe-da-terra é toda os meus entusiasmos:
25 dar-lhe-ia os meus dinheiros e minhas mãos também!
Santa Maria dos olhos verdes, verdes,
venho depositar aos vossos pés verdes
a coroa de luz da minha loucura!

Alcançai para mim
30 a Hospedaria dos Jamais Iluminados!

# Paisagem nº 4

Os caminhões rodando, as carroças rodando,
Rápidas as ruas se desenrolando,
Rumor surdo e rouco, estrépitos, estalidos...
E o largo coro de ouro das sacas de café!...

5 Na confluência o grito inglês da São Paulo Railway...
Mas as ventaneiras da desilusão! a baixa do café!...
As quebras, as ameaças, as audácias superfinas!...
Fogem os fazendeiros para o lar!... Cincinato Braga!...
Muito ao longe o Brasil com seus braços cruzados...
10 Oh! as indiferenças maternais!...

Os caminhões rodando, as carroças rodando,
Rápidas as ruas se desenrolando,
Rumor surdo e rouco, estrépitos, estalidos...
E o largo coro de ouro das sacas de café!...

15 Lutar!
A vitória de todos os sozinhos!...
As bandeiras e os clarins dos armazéns abarrotados...
Hostilizar!... Mas as ventaneiras dos braços cruzados!...

E a coroação com os próprios dedos!
20 Mutismos presidenciais, para trás!
Ponhamos os (Vitória!) colares de presas inimigas!
Enguirlandemo-nos de café-cereja!
Taratá! e o peã de escárnio para o mundo!

Oh! este orgulho máximo de ser paulistamente!!!

# As Enfibraturas do Ipiranga

## *(Oratório profano)*

"O, woe is me
To have seen what I have seen, see what I see!"
Shakespeare

Distribuição das vozes:

*Os Orientalismos Convencionais* – (escritores e demais artífices elogiáveis) – Largo, imponente coro afinadíssimo de sopranos, contraltos, barítonos, baixos.

As Senectudes Tremulinas – (milionários e burgueses) – Coro de sopranistas.

Os Sandapilários Indiferentes – (operariado, gente pobre) – Barítonos e baixos.

As Juvenilidades Auriverdes – (nós) – Tenores, sempre tenores! Que o diga Walter von Stolzing!

Minha Loucura – Soprano ligeiro. Solista.

Acompanhamento de orquestra e banda.

Local de execução: a esplanada do Teatro Municipal. Banda e orquestra colocadas no terraplano que tomba sobre os jardins. São perto de cinco mil instrumentistas dirigidos por maestros... vindos do estrangeiro. Quando a solista canta há silêncio orquestral – salvo nos casos propositadamente mencionados. E, mesmo assim, os instrumentos que

então ressoam, fazem-no a contragosto dos maestros. Nos coros dos Orientalismos Convencionais a banda junta-se à orquestra. É um *tutti* formidando.
Quando cantam As Juvenilidades Auriverdes (há naturalmente falta de ensaios) muitos instrumentos silenciam. Alguns desafinam. Outros partem as cordas. Só aguentam o *rubato* lancinante violinos, flautas, clarins, a bateria e mais borés e maracás.

Os Orientalismos Convencionais estão nas janelas e terraços do Teatro Municipal. As Senectudes Tremulinas disseminaram-se pelas sacadas do Automóvel Clube, da Prefeitura, da Rôtisserie, da Tipografia Weisflog, do Hotel Carlton e mesmo da Livraria Alves, ao longe. Os Sandapilários Indiferentes berram do Viaduto do Chá. Mas As Juvenilidades Auriverdes estão embaixo, nos parques do Anhangabaú, com os pés enterrados no solo. Minha Loucura no meio delas.

## *Na Aurora do Novo Dia*

Prelúdio

As caixas anunciam a arraiada. Todos os 550.000 cantores concertam apressadamente as gargantas e tomam fôlego com exagero, enquanto os borés, as trompas, o órgão, cada timbre por sua vez, entre largos silêncios reflexivos, enunciam, sem desenvolvimento, nem harmonização o tema: “Utilius est saepe et securius quod homo non habeat multas consolationes in hac vita”.

E começa o oratório profano, que teve por nome
As Enfibraturas do Ipiranga

## *As Juvenilidades Auriverdes*

(Pianíssimo)

Nós somos as Juvenilidades Auriverdes!
As franjadas flâmulas das bananeiras,
As esmeraldas das araras,
Os rubis dos colibris,
5 Os lirismos dos sabiás e das jandaias,
Os abacaxis, as mangas, os cajus
Almejam localizar-se triunfantemente,
Na fremente celebração do Universal!...
Nós somos as Juvenilidades Auriverdes!
10 As forças vivas do torrão natal,
As ignorâncias iluminadas,
Os novos sóis luscofuscolares
Entre os sublimes das dedicações!...
Todos para a fraterna música do Universal!
15 Nós somos as Juvenilidades Auriverdes!

## *Os Sandapilários Indiferentes*

(Num estampido preto)

Vá de rumor! Vá de rumor!
Esta gente não nos deixa mais dormir!
Antes "E lucevan le stelle" de Puccini!
Oh! pé de anjo, pé de anjo!
20 Fora! Fora o que é de despertar!

(A orquestra num crescendo cromático
de contrabaixos anuncia...)

## *Os Orientalismos Convencionais*

Somos os Orientalismos Convencionais!
Os alicerces não devem cair mais!
Nada de subidas ou de verticais!
Amamos as chatezas horizontais!
25 Abatemos perobas de ramos desiguais!
Odiamos as matinadas arlequinais!
Viva a Limpeza Pública e os hábitos morais!
Somos os Orientalismos Convencionais!

Deve haver Von Iherings para todos os tatus!
30 Deve haver Vitais Brasis para os urutus!
Mesmo peso de feijão em todos os tutus!
Só é nobre o passo dos jabirus!
Há estilos consagrados para Pacaembus!
Que os nossos antepassados foram homens de truz!
35 Não lhe bastam velas? Para que mais luz!
Temos nossos coros só no tom de dó!
Para os desafinados, doutrina de cipó!
Usamos capas de seda, é só escovar o pó!
Diariamente à mesa temos mocotó!
40 Per omnia saecula saeculorum moinhos terão mó!
Anualmente de sobrecasaca, não de paletó,
Vamos visitar o esqueleto de nossa grande avó!
Glória aos iguais! Um é todos! Todos são um só!
Somos os Orientalismos Convencionais!

## *As Juvenilidades Auriverdes*

(Perturbadas com o fabordão, recomeçam mais alto, incertas)

45 Magia das alvoradas entre magnólias e rosas...
Apelos do estelário visível aos alguéns...
– Pão de Ícaros sobre a toalha extática do azul!
Os tuins esperanças das nossas ilusões!
Suaviloquências entre as deliquescências
50 Dos sáfaros, aos raios do maior solar!...
Sobracemos as muralhas! Investe com os cardos!
Rasga-te nos acúleos! Tomba sobre o chão!
Hão-de vir valquírias para os olhos-fechados!
Anda! Não pares nunca! Aliena o duvidar
55 E as vacilações perpetuamente!

## *As Senectudes Tremulinas*

(Tempo de minuete)

Quem são estes homens?
Maiores menores
Como é bom ser rico!
Maiores menores
60 Das nossas poltronas
Maiores menores
Olhamos as estátuas
Maiores menores
Do signor Ximenes
65 — O grande escultor!

Só admiramos os célebres
E os recomendados também!
Quem tem galeria
Terá um Bouguereau!
70 Assinar o Lírico?
Elegância de preceito!
Mas que paulificância
Maiores menores
O *Tristão e Isolda!*
75 Maiores menores

Preferimos os coros
Dos Orientalis –
mos Convencionais!
Depois os sanchismos
80 (Ai! gentes, que bom!)
Da alta madrugada
No largo do Paiçandu!

Alargar as ruas...
E as instituições?
85 Não pode! Não pode!
Maiores menores
Mas não há quem diga
Maiores menores
Quem são esses homens
90 Que cantam no chão?

(A orquestra súbito emudece, depois
duma grande gargalhada de timbales)

## *Minha Loucura*

(Recitativo e balada)

Dramas da luz do luar no segredo das frestas
Perquirindo as escuridões...
A traição das mordaças!
E a paixão oriental dissolvida no mel!...

95 Estas marés da espuma branca
E a onipotência intransponível dos rochedos!
Intransponivelmente! Oh!...
A minha voz tem dedos muito claros
Que vão roçar nos lábios do Senhor;
100 Mas as minhas tranças muito negras
Emaranharam-se nas raízes do jacarandá...

Os cérebros das cascatas marulhantes
E o benefício das manhãs serenas do Brasil!

(Grandes glissandos de harpa)

Estas nuvens da tempestade branca
105 E os telhados que não deixam a chuva batizar!
Propositadamente! Oh!...
Os meus olhos têm beijos muito verdes
Que vão cair às plantas do Senhor;
Mas as minhas mãos muito frágeis
110 Apoiaram-se nas faldas do Cubatão...

Os cérebros das cascatas marulhantes
E o benefício das manhãs solenes do Brasil
(Notas longas de trompas)
Estas espigas da colheita branca
E os escalrachos roubando a uberdade!
115 Enredadamente! Oh!...
Os meus joelhos têm quedas muito crentes
Que vão bater no peito do Senhor;
Mas os meus suspiros muito louros
Entreteceram-se com a rama dos cafezais...

120 Os cérebros das cascatas marulhantes
E o benefício das manhãs gloriosas do Brasil!
(Harpas, trompas, órgão)

## *As Senectudes Tremulinas*

(Iniciando uma gavota)

Quem é essa mulher!
É louca, mas louca
Pois anda no chão!

## *As Juvenilidades Auriverdes*

(Num crescendo fantástico)

125 Ódios, invejas, infelicidades!...
Crenças sem Deus! Patriotismos diplomáticos!
Cegar!
Desvalorização das lágrimas lustrais!
Nós não queremos mascaradas! E ainda menos
130 Cordões "Flor-do-abacate" das superfluidades!
Os tumultos da luz!... As lições dos maiores!...
E a integralização da vida no Universal!
As estradas correndo todas para o mesmo final!...
E a pátria simples, una, intangivelmente
135 Partindo para a celebração do Universal!
Ventem nossos desvarios fervorosos!
Fulgurem nossos pensamentos dadivosos!
Clangorem nossas palavras proféticas
Na grande profecia virginal!
140 Somos as Juvenilidades Auriverdes!
A passiflora! o espanto! a loucura! o desejo!
Cravos! mais cravos para nossa cruz!

## *Os Orientalismos Convencionais*

(Tutti. O crescendo é resolvido
numa solene marcha fúnebre)

Para que cravos? Para que cruzes?
Submetei-vos à metrificação!
145 A verdadeira luz está nas corporações!
Aos maiores: serrote; aos menores: o salto...
E a glorificação das nossas ovações!

### *As Juvenilidades Auriverdes*

(Num clamor)

Somos as Juvenilidades Auriverdes!
A passiflora! o espanto! a loucura! o desejo!
150 Cravos! mais cravos para nossa cruz!

### *Os Orientalismos Convencionais*

(A tempo)

Para que cravos? Para que cruzes?
Submetei-vos à poda!
Para que as artes vivam e revivam
Use-se o regime do quartel!
155 É a riqueza! O nosso anel de matrimônio!
E as fecundidades regulares, refletidas...
E os perenementes da ligação mensal...

### *As Senectudes Tremulinas*

(Aos miados de flautim impotente)

Bravíssimo! Bem dito! Sai azar!
Os perenementes da ligação anual!

### *As Juvenilidades Auriverdes*

(Berrando)

160 Somos as Juvenilidades Auriverdes!
A passiflora! o espanto! a loucura! o desejo!
Cravos! mais cravos para nossa cruz!

## *Os Orientalismos Convencionais*

(Da capo)

Para que cravos? Para que cruzes?
Universalizai-vos no senso comum!
**165** Senti sentimentos de vossos pais e avós!
Para as almas sempres torresmos cerebrais!
E a sesta na rede pelos meios-dias!
Acordar às seis; deitar às vinte e meia;
E o banho semanal com sabão de cinza,
**170** Limpando da terra, calmando das erupções....
E a dignificação bocejal do mundo sem estações!...
Primavera, inverno, verão, outono...
Para que estações?

## *As Juvenilidades Auriverdes*

(Já vociferantes)

Cães! Piores que cães!
**175** Somos as Juvenilidades Auriverdes!
Vós, burros! malditos! cães! piores que cães!

## *Os Orientalismos Convencionais*

(Sempre marcha fúnebre, cada vez mais forte porém)

Para que burros? Para que cães?
Produtividades regulares. Vivam as maleitas!
Intermitências de polegadas certas!
**180** Nas arquiteturas renascença gálica;
Na música Verdi; na escultura Fídias;
Corot na pintura; nos versos Leconte;

Na prosa Macedo, D'Annunzio e Bourget!
E na vida enfim, eternamente eterna,
185 Concertos de meia à luz do lampeão,
Valsas de Godard no piano alemão,
Marido, mulher, as filhas, o noivo...

### *As Juvenilidades Auriverdes*

(Numa grita descompassada)

Malditos! Boçais! Cães! Piores que cães!
Somos as Juvenilidades Auriverdes!
190 A passiflora!... Vós, malditos! boçais!

### *Os Orientalismos Convencionais*

(fff)

... O corso aos domingos, o chá no Trianon...
E as.......... cidades, as.......... cidades,
as.......... cidades, as.......... cidades,
e mil.......... cidades...[4]

### *AS JUVENILIDADES AURIVERDES*

(ffff)

195 Seus borras! Seus bêbedos! Infames! Malditos!
A passiflora! o espanto! a loucura! o d...

4. Aqui o leitor, se for partidário dos Orientalismos, porá nomes de escritores paulistas que aprecia, e das Juvenilidades, os que detesta. Exemplo com meu próprio nome: E as mariocidades. Não existe esse sufixo: quero assim para bater milhor o ritmo.

## *Os Orientalismos Convencionais*

(fffff)

... e as perpetuidades

Das celebridades das nossas vaidades;
Das antiguidades às atualidades;
Ao fim das idades sem desigualdades
**200** Quem há-de...

## *AS JUVENILIDADES AURIVERDES*

(Loucos, sublimes, tombando exaustos)

Seus.......................................................................................!!!
(A maior palavra feia que o leitor conhecer)
Nós somos as Juvenilidades Auriverdes!
A passiflora! O espanto!... A loucura! O desejo!...
**205** Cravos!... Mais cravos... para... a nossa...

Silêncio. Os Orientalismos Convencionais, bem como as Senectudes Tremulinas e os Sandapilários Indiferentes fugiram e se esconderam, tapando os ouvidos à grande, à máxima verdade. A orquestra evaporou-se, espavorida. Os *maestri* sucumbiram. Caiu a noite, aliás; e na solidão da noite das mil estrelas as Juvenilidades Auriverdes, tombadas no solo, chorando, chorando o arrependimento do tresvario final.

## *MINHA LOUCURA*

(Suavemente entoa cantiga de adormentar)

Chorai! Chorai! Depois dormi!
Venham os descansos veludosos
Vestir os vossos membros!... Descansai!
Ponde os lábios na terra! Ponde os olhos na terra!
**210** Vossos beijos finais, vossas lágrimas primeiras
Para a branca fecundação!
Espalhai vossas almas sobre o verde!
Guardai nos mantos de sombra dos manacás
Os vossos vaga-lumes interiores!
**215** Inda serão um sol nos ouros do amanhã!
Chorai! Chorai! Depois dormi!
A mansa noite com seus dedos estelares
Fechará nossas pálpebras...
As vésperas do azul!...
**220** As milhores vozes para vosso adormentar!
Mas o Cruzeiro do Sul e a saudade dos martírios...
Ondular do vai-vem! Embalar do vai-vem!
Para a restauração o vinho dos noturnos!...
Mas em vinte anos se abrirão as searas!
**225** Virão os setembros das floradas virginais!
Virão os dezembros do sol pojando os grânulos!
Virão os fevereiros do café-cereja!
Virão os marços das maturações!
Virão os abris dos preparativos festivais!

230 E nos vinte anos se abrirão as searas!
E virão os maios! E virão os maios!
Rezas de Maria... Bimbalhadas... Os votivos...
As preces subidas... As graças vertidas...
Tereis a cultura da recordação!
235 Que o Cruzeiro do Sul e a saudade dos martírios
Plantem-se na tumba da noite em que sonhais...
Importa?!... Digo-vos eu nos mansos
Oh! Juvenilidades Auriverdes, meus irmãos:
Chorai! Chorai! Depois dormi!
240 Venham os descansos veludosos
Vestir os vossos membros!... Descansai!

Diuturnamente cantareis e tombareis.
As rosas... As borboletas... Os orvalhos...
O todo-dia dos imolados sem razão...
245 Fechai vossos peitos!
Que a noite venha depor seus cabelos aléns
Nas feridas de ardor dos cutilados!
E enfim no luto em luz, (Chorai!)
Das praias sem borrascas, (Chorai!)
250 Das florestas sem traições de guaranis
(Depois dormi!)
Que vos sepulte a Paz Invulnerável!
Venham os descansos veludosos
Vestir os vossos membros... Descansai!

(Quase a sorrir, dormindo)

**255** Eu... os desertos... os Caíns... a maldição...

(As Juvenilidades Auriverdes e Minha Loucura adormecem eternamente surdos, enquanto das janelas de palácios, teatros, tipografias, hotéis - escancaradas, mas cegas - cresce uma enorme vaia de assovios, zurros, patadas.)

LAUS DEO!

# Complemento de leitura

# Sobre o autor

Considerado por muitos estudiosos o principal expoente da chamada "fase heroica" do Modernismo paulista, Mário de Andrade (1893-1945) foi talvez o maior intelectual do Brasil do século XX. Ao longo de seus 51 anos de vida, atuou tanto no campo artístico quanto no político, contribuindo não somente para a criação literária, mas também para a conservação e a difusão das artes plásticas, da música e do folclore brasileiro.

Nascido em 1893, na cidade de São Paulo, onde viria a falecer em 1945, Mário Raul de Morais Andrade estudou no Ginásio Nossa Senhora do Carmo e no Conservatório Dramático e Musical, instituição em que seria, mais tarde, professor de História da Música. Seu amor por essa arte e sua obstinação em difundir a cultura brasileira, desejo presente em sua empreitada modernista, o levaram a conceber, em 1935, a Discoteca Pública (atual Discoteca Oneyda Alvarenga), quando era diretor do Departamento de Cultura da Prefeitura de São Paulo, cargo que ocupou de 1934 a 1937. Ainda nesse posto, organizou, em 1937, o I Congresso Nacional de Língua Cantada e deu nova vida à Revista do Arquivo Municipal. Foi também professor de Estética na Universidade do Distrito Federal e trabalhou, embora em cargos de menor destaque, na sede do Ministério de Educação e Cultura (hoje Palácio Gustavo Capanema), localizada, então, no Rio de Janeiro. No final da vida, regressou à cidade natal e atuou no Serviço do Patrimônio Histórico.

Sua carreira na literatura não é menos expressiva: sua obra abrange a produção crítica, a prosa e a poesia. Mário de Andrade estreou no cenário literário com o livro de poemas *Há uma gota de sangue em cada poema*, lançado em 1917, sob o pseudônimo de Mário Sobral, e em cujo espírito ainda perdurava, conforme pontuou Alfredo Bosi, muito de tradicional, como mostram os "[...] versos retóricos dirigidos contra o militarismo alemão"[1].

Foi com a *Pauliceia desvairada*, publicada em 1922, que o escritor foi chamado de "meu poeta futurista" por Oswald de Andrade, outro idealizador da Semana de Arte Moderna. É nesse livro que, de fato, Mário de Andrade incorpora as inovações estéticas das vanguardas europeias, tendência manifesta também no *Losango cáqui*, de 1926. Outra faceta de sua poética é *O Clã do jabuti*, obra de 1927 na qual se demonstram as preocupações que o poeta tem no tocante à identidade nacional brasileira. Já na fase mais madura de sua produção, tem-se *Remate de males*, de 1930; *Poesias*, de 1941; e as publicações póstumas *Lira paulistana* e *Poesias completas*, de 1945 e 1955, respectivamente.

Sua prosa é igualmente rica e inovadora. Dentre os livros do escritor, destaca-se o romance *Amar, verbo intransitivo*, de 1927, em que estão presentes a análise psicológica (a qual revela forte influência das teorias de Sigmund Freud) das personagens e o desnudamento das relações familiares ocorridas no seio da elite paulistana. Vale ressaltar também a importância da rapsódia *Macunaíma, o herói sem nenhum caráter*, de 1928. Nela, Mário de Andrade compõe, por meio, dentre outras soluções estéticas, do aproveitamento do folclore nacional e das variantes populares do português, uma obra em cujo centro está na reflexão acerca da identidade brasileira, questão cara aos modernistas do que se convencionou chamar "primeira fase".

Além de ser um excelente romancista e prosador, o escritor paulistano também cultivou como poucos o conto. Suas principais obras nesse gênero são: *Primeiro andar*, de 1926; *Belazarte*, de 1934; e *Contos novos*, reunião de textos lançada postumamente em 1947. Também escreveu livros de ensaios, sobre crítica e outros temas: *A escrava que não*

1. BOSI, Alfredo. *História concisa da literatura brasileira*. São Paulo: Cultrix, 2004.

*é Isaura*, de 1925; *O Aleijadinho e Álvares de Azevedo*, de 1935; *A música e a canção populares no Brasil*, de 1936; e *A expressão musical nos Estados Unidos*, de 1940; entre outros.

O leitor logo percebe, então, que está diante da obra do tupi que ousou tanger o alaúde nos trópicos, buscando a integração entre o popular e o erudito, a atividade política e a atuação artística. Assim, construiu um legado de valor inestimável, que só um escritor que pesquisou, estudou e pensou como poucos a realidade, a cultura e as raízes brasileiras poderia deixar.

# Texto e contexto

*Pauliceia desvairada*, escrito entre 1920 e 1921, o segundo livro de poemas de Mário de Andrade, é considerado a primeira obra do Modernismo brasileiro, que teve início com a Semana de Arte Moderna de 1922, momento em que o país passava por uma série de transformações em diversos aspectos. Nesse período, as artes também apresentavam mudanças que influenciariam radicalmente a produção artístico-cultural do século XX.

O país, embora liberal na teoria[2], era, na prática, comandado principalmente pelas oligarquias estaduais, que, conforme indica Boris Fausto[3], detinham o monopólio do poder político, especialmente por meio da ação dos coronéis[4]. Assim, como a produção e a exportação cafeeira eram a base do regime da República, os proprietários rurais, especialmente os de São Paulo e os de Minas Gerais, com a política do café com leite, eram hegemônicos nas decisões da União.

São Paulo também ocupou um lugar de destaque, além do poder

2. A Constituição promulgada em 1891 teve como inspiração o modelo norte-americano e instaurou a República Federativa liberal.

3. FAUSTO, Boris. *História do Brasil*. São Paulo: Edusp, 1995, p. 249.

4. Ibidem, p. 264. O historiador e professor da USP ressalta, porém, que o coronelismo não foi tão impactante no caso do estado de São Paulo, em que o aparelho estatal tornou mais restrito o poder desses latifundiários.

político, no surto industrial possibilitado pelo capital proveniente da ainda dominante economia cafeeira. Resultante desse processo, houve uma acelerada urbanização, especialmente na capital do estado[5], que concentrou tanto imigrantes espontâneos quanto os oriundos da atividade agrícola, atraídos, entre outros fatores, pelas possibilidades de trabalho na capital[6].

Desse modo, formaram-se novos estratos sociais, como é possível observar com a marginalização dos antigos escravos e o aumento da classe operária e da pequena classe média[7]. Essa organização evidencia uma dicotomia que consiste na oposição entre a defesa dos interesses das oligarquias rurais e a falta de representatividade de vários grupos socioeconômicos. Nesse contexto, constitui-se um quadro em que se observam ideologias conflitantes que, como apontou Alfredo Bosi, agitariam o cenário social e a vida política em certas partes do Brasil[8].

Em face dessa nova realidade, alguns brasileiros também mudariam os rumos da Arte no país. Os artistas de São Paulo e do Rio de Janeiro, inquietos com o cenário cultural da época[9], pois haviam começado a trazer da Europa[10] inovações temáticas e estéticas que possibilitariam a eles refletir sobre o novo quadro brasileiro[11], teriam como ponto de

---

5. Não é por acaso que, entre 1890 e 1900, conforme Boris Fausto, a população paulistana foi de 64.934 para 239.820 habitantes, um aumento de 268%. Esse número chegaria a 500 mil em 1920, como indica Nicolau Sevcenko. SEVCENKO, Nicolau. Transformações da Linguagem e advento da cultura modernista no Brasil. *Estudos Históricos*, Rio de Janeiro, vol. 6, 1992.
6. Como afirma Boris Fausto, o destino de muitos deles era o artesanato, o comércio de rua e as fábricas e fabriquetas que estavam sendo implantadas. Ademais, a capital paulista concentrava os principais bancos e exercia o papel de principal distribuidor dos produtos importados.
7. BOSI, Alfredo. *História concisa da literatura brasileira.* São Paulo: Cultrix, 2004, p. 304.
8. Entre 1917 e 1920, por exemplo, influenciadas pela elevação no custo dos gêneros alimentícios e pelas revoluções ocorridas na Europa (na Rússia, por exemplo), foram feitas diversas greves no Rio e em São Paulo, e, em 1922, foi criado o Partido Comunista do Brasil (PCB).
9. Ele era dividido, segundo Bosi, entre a preferência pela poesia parnasiana, a prosa regional e um "gênero de verso sertanista", representado, entre outros, pela literatura de Catulo da Paixão Cearense.
10. Na seção Tome Nota, você verá uma explicação das características de algumas das vanguardas europeias.
11. Oswald de Andrade, por exemplo, conheceu em Paris o Futurismo de Filippo Marinetti; Bandeira manteve contato com o poeta suíço Paul Éluard e, já em 1919, publicou *Carnaval*, livro de poemas que introduziu em solo brasileiro o verso livre; e Ronald de Carvalho ajudou a fundar a revista *Orfeu*, da qual participaram Fernando Pessoa e Mário de Sá-Carneiro. O

encontro a Semana de Arte Moderna, realizada em fevereiro de 1922. É óbvio que, para a plateia desse evento, acostumada aos versos de Olavo Bilac, o poema "Ode ao burguês", lido por Mário de Andrade na escadaria do Teatro Municipal, causou repulsa pelo seu "futurismo"[12], um conceito que, na imprensa da época, carregava a ideia de extravagância e exagero.

Os frutos da Semana de Arte Moderna são visíveis nas muitas revistas nas quais os novos autores procuravam explicar e justificar as obras, bem como dar a conhecer suas bases teóricas[13]. Ademais, foram lançados diversos manifestos em que se evidenciava a delimitação dos subgrupos do Modernismo, que se diferenciavam quanto à orientação ideológica e estética[14].

Mário de Andrade foi um dos mais ativos participantes dessa virada na vida cultural brasileira, não somente na fase heroica do Modernismo, mas também nos rumos que a literatura viria a tomar após esse período. Uma grande influência para os que escreveram nos anos de 1920 foi a *Pauliceia desvairada*, em que se encontram, de forma crítica, as principais inovações estéticas que seriam incorporadas pelos modernistas. Nesse livro, o escritor canta a metrópole repleta de contradições e, no

---

evento mais significativo antes da Semana de Arte Moderna, porém, foi a exposição de Anita Malfatti, em 1917, que apresentava em suas telas influências cubistas e expressionistas. Vale ressaltar que essa mostra foi duramente criticada por Monteiro Lobato no artigo "Paranoia ou mistificação?".

12. Não menos vaias recebeu a leitura do poema "Os sapos", escrito por Manuel Bandeira (que não esteve presente na Semana), que faz uma sátira dos poetas e da poesia parnasiana. Também Heitor Villa-Lobos, por ter se apresentado de casaca e chinela por causa de um calo, foi alvo de protestos do público, que viu nos trajes dele uma manifestação "futurista".

13. Uma delas foi a *Klaxon*, que surgiu em maio de 1922 e teve nove números. Essa publicação buscava fazer uma sistematização das novas estéticas que foram apresentadas na Semana e se dividiu, grosso modo, em duas linhas de vanguarda, conforme indicou Bosi: uma "futurista", que propunha soluções estéticas mais radicais e cuja linguagem aderiu à técnica e à civilização; e outra "primitivista", voltada para a libertação e a projeção do inconsciente.

14. Exemplos dessas linhas antagônicas podem ser observados no caso do *Manifesto Pau-Brasil*, escrito por Oswald de Andrade, e o Verde-amarelismo, de Cassiano Ricardo, Menotti del Picchia, Cândido Motta Filho e Plínio Salgado. O primeiro explorava, como indicou Bosi, "uma linha de primitivismo anarcoide", e teve esse ideal radicalizado na *Revista de Antropofagia*, em torno da qual estavam, além do próprio Oswald, Tarsila do Amaral e Raul Bopp. O segundo, por sua vez, recorreu ao nacionalismo exacerbado, e nele se evocava o apelo às noções de terra, raça e sangue, sarcasticamente rebatidas pelas publicações da *Revista de Antropofagia*.

"Prefácio interessantíssimo", oferece ao leitor um arcabouço teórico sobre alguns procedimentos e recursos estilísticos presentes na obra.

Nesse prefácio, publicado somente anos depois a conselho de Monteiro Lobato, o escritor paulistano defende o "Desvairismo", ou seja, a tentativa de libertação das zonas do subconsciente por meio de um procedimento que se aproxima da escrita automática dos surrealistas, mas que, segundo defende Mário de Andrade, é posteriormente trabalhado pelo intelecto. Somada a essa libertação da psiquê, está a influência do Cubismo, em que se percebe a deformação abstrata, não a reprodução ou imitação da natureza nos moldes clássicos.

Além desses elementos, é apresentada no prefácio da *Pauliceia* a *parole in libertà*[15]. Esse processo consiste em dispor as palavras livremente, sem a preocupação com os moldes da tipografia linear ou da sintaxe convencional. Desse modo, assim como nos poemas futuristas, em alguns versos marioandradeanos, é possível observar que as palavras (substantivos, em especial, possivelmente uma influência futurista) não têm entre si uma relação lógica e não seguem a sintaxe convencional[16].

A intersecção entre as artes foi fundamental também para a criação poética do escritor paulistano. Os conceitos de verso harmônico, verso melódico e polifonia poética, por exemplo, apresentados no "Prefácio interessantíssimo", são influenciados pela teoria musical. O primeiro predominou até o Parnasianismo e consiste em um tipo de verso tradicional, uma vez que forma um todo com pensamento inteligível e apresenta continuidade de sons. O segundo, por seu turno, é composto por palavras sem nexo lógico ou gramatical entre si, de modo que ficam sobrepostas umas às outras e, assim, têm seu som destacado individualmente, formando uma harmonia, e não mais uma melodia[17]. O terceiro

---

15. Em português, em tradução literal, o termo significa "palavra em liberdade".
16. É o que ocorre, por exemplo, no poema "O trovador": "Sentimentos em mim do asperamente / dos homens das primeiras eras...". Nesses versos, note-se que parece não haver um nexo entre as palavras e que não é empregado nenhum verbo. Outra inovação no nível da linguagem que neles se pode observar é o uso do advérbio "asperamente" como substantivo, classe de palavras que mais aparece nesse trecho.
17. É o caso, por exemplo, do verso "Fugas... Tiros... Tom Mix", do poema "Domingo".

conceito, por fim, evidencia-se na disposição de dois ou mais verbos consecutivamente, como apontou Bosi[18].

Essas inovações estéticas foram empregadas por Mário de Andrade para cantar a sua musa, a cidade São Paulo, como se percebe em "Inspiração", que abre a *Pauliceia*. Esse poema e o "O trovador" situam, como afirmou Aleilton Fonseca, professor da Universidade Estadual de Feira de Santana[19]: "[...] a condição que o sujeito da enunciação assume, a partir de um chão histórico, geográfico e cultural". O primeiro plano se refere à modernidade, a qual permeia os poemas do livro. O segundo, por sua vez, é espacial: a cidade de São Paulo, local cosmopolita onde ocorre a modernização e, assim, onde o sujeito pode entrar em contato com o mundo; e o terceiro é resultado "[...] da inserção do sujeito no espaço histórico-geográfico de um país latino, ex-colônia europeia e ainda dependente política e economicamente, cuja identidade encontra-se ainda instável e problemática". Portanto, pode-se afirmar que o eu lírico moderno da *Pauliceia desvairada* expressa, conforme apontou a estudiosa Telê Ancona Porto Lopez[20], o desejo de modernidade, de participação no destino do mundo, tendo em vista a realização do homem, e o faz consciente de seu lugar como intelectual e artista brasileiro.

É dessa necessidade de participação e desse esforço em direção à modernidade que se inicia, na *Pauliceia desvairada*, a construção do filtro crítico pelo qual o autor visa a selecionar e digerir as tendências vanguardistas europeias e o qual permeará o trabalho de Mário de Andrade, passando de mera influência a perspectiva de criação, como bem pontuou Lopez[21]. Para realizar essa tarefa, o escritor parte, no livro

18. BOSI, Alfredo. *História concisa da literatura brasileira*. São Paulo: Cultrix, 2004, p. 349.

19. FONSECA, Aleilton. Identidades em Curso: Mário de Andrade: trovador / domador da cidade. *Légua & meia: Revista de literatura e diversidade cultural*. Feira de Santana: UEFS, n°1, 2002, pp. 237-251. Disponível em: <http://leguaemeia.uefs.br/1/1_237_mario.pdf>. Acesso em: 27 out. 2015.

20. LOPEZ, Telê Ancona. *Arlequim e modernidade*. São Paulo: HUCITEC. 1996. p. 24. *Revista do Instituto de Estudos Brasileiros*. São Paulo, n° 21, 1979, pp. 85-100. Disponível em: <http://www.revistas.usp.br/rieb/article/view/69575/72159>. Acesso em: 27 out. 2015.

21. Ibidem, p. 87.

em questão, do motivo que é responsável por organizá-lo esteticamente: o arlequim[22], o "*clown*", que está ligado aos vários elementos de diferentes estéticas e que retrata uma realidade também diversificada e cosmopolita. É por meio da loucura que o eu lírico direciona o olhar para a "arlequinal" (neologismo empregado diversas vezes ao longo do livro) cidade.

Mário de Andrade consegue, com este livro, despertar ainda hoje reflexões acerca da percepção que o sujeito tem do espaço urbano e surpreender pelas inovações estéticas, as quais seriam aproveitadas e amadurecidas pelos escritores brasileiros do século XX. Enfim, com esse livro, o leitor poderá descobrir a pauliceia marioandradeana e, assim, como o autor, se apaixonar pelas contradições que essa cidade oferece.

22. O motivo do arlequim encontra-se já nos desenhos (atribuídos a Guilherme de Almeida) dos losangos coloridos que estão presentes na capa da primeira publicação de *Pauliceia desvairada*.

# Tome nota

Os artistas que participaram da Semana de Arte Moderna de 1922, entre eles Mário de Andrade, receberam forte influência das vanguardas europeias, movimentos artísticos que vinham romper com os moldes estabelecidos até então. Dentre elas, destacam-se o Futurismo e o Cubismo.

A proposta dos cubistas, cujo representante maior foi o pintor espanhol Pablo Picasso, buscou, grosso modo, apresentar uma visão fragmentada da realidade, que era recomposta por meio da sobreposição de planos. Para os artistas dessa vertente alcançarem esse objetivo, valeram-se das figuras geométricas, amplamente utilizadas como forma de representação nas pinturas.

O Futurismo, por sua vez, nasceu em 1909, com a publicação do *Manifesto Futurista*, de Felippo Marinetti. As características desse movimento eram a iconoclastia, o culto à tecnologia e à vida na cidade. Outra particularidade desse grupo é que os futuristas adotaram uma postura radical, pregando o completo desprendimento do passado e, inclusive, a destruição das bibliotecas e dos museus. A exaltação da guerra e da velocidade por parte dessa vertente faria que, anos depois, o Futurismo fosse utilizado como propaganda fascista.

# Questões comentadas

1. **(UEL-PR-2001) As obras consideradas marcos iniciais dos movimentos literários revelam, na maioria das vezes, a temática e a estética predominantes nos diferentes períodos da nossa literatura, correspondendo quase sempre ao pensamento crítico, aos valores e à ideologia de uma época em mudança.**

   Assinale a alternativa INCORRETA quanto à correspondência entre a obra e as características estéticas e históricas do período a que ela pertence:

   a) *Pauliceia desvairada* (1922), de Mário de Andrade, é uma das obras que principia o movimento modernista brasileiro e representa a defesa da concepção formal da arte, aderindo ao Cubismo e à teoria naturalista do momento, em que o autor afirma ter fundado um modo racional de criação poética, com vistas à "escrita objetiva", num momento de grande renovação da sociedade brasileira.

   b) *Missal* e *Broquéis* (1893), de Cruz e Souza, marcam oficialmente o início do Simbolismo no Brasil, movimento que se destacou pela concepção mística do mundo, pelo conhecimento ilógico e intuitivo, em oposição ao racionalismo predominante da época.

   c) *O mulato* (1881), de Aluísio Azevedo, é a obra que dá início ao Naturalismo no Brasil e teve como característica principal a influência das teorias deterministas de Taine, positivistas de Comte e evolucionistas de Darwin, o que fez com que na literatura predominasse a crença de que as forças naturais e sociais determinam a vida dos homens.

d) *A bagaceira* (1928) é a primeira obra daquilo que se chamaria "romance social de 30", da segunda fase do Modernismo brasileiro, e definiu ao mesmo tempo uma direção formal (de cunho realista) e um veio temático (os engenhos do Nordeste, a seca, o retirante, o jagunço) que seriam explorados por autores como Rachel de Queiroz e José Lins do Rego.

e) *Suspiros poéticos e saudades* (1836), de Gonçalves de Magalhães, inaugura o movimento romântico no Brasil, que se definiu pela valorização das emoções, pelo culto à natureza e pelo individualismo, em oposição à sobriedade, equilíbrio e busca de objetividade dos neoclássicos, num momento em que se buscava a definição da nacionalidade brasileira.

**Comentário:** De fato, conforme se afirma na alternativa **A**, *Pauliceia desvairada*, publicada em 1922, mostra-se como um dos alicerces do Modernismo paulista, originado com a Semana de Arte Moderna, que ocorreu naquele ano. No entanto, o poeta não adere à estética naturalista, uma vez que, no Prefácio interessantíssimo", afirma dar livre expressão ao pensamento e produz, assim, uma poesia antimimética, em que sons, sensações, emoções e colagens de imagens são frequentes. As demais alternativas estão corretas.

### Idealismo e Realismo

*Eu sou pois associado a estes dois movimentos, e se ainda ignoro o que seja a ideia nova, sei pouco mais ou menos o que chamam aí a escola realista. Creio que em Portugal e no Brasil se chama Realismo, termo já velho em 1840, ao movimento artístico que em França e em Inglaterra é conhecido por "Naturalismo" ou "arte experimental". Aceitemos, porém, Realismo, como a alcunha familiar e amiga pela qual o Brasil e Portugal conhecem uma certa fase na evolução da arte.*

*(...)*

*Não – perdoem-me – não há escola realista. Escola é a imitação sistemática dos processos dum mestre. Pressupõe uma origem individual, uma retórica ou uma maneira consagrada. Ora o Naturalismo não*

*nasceu da estética peculiar dum artista; é um movimento geral da arte, num certo momento da sua evolução. A sua maneira não está consagrada, porque cada temperamento individual tem a sua maneira própria: Daudet é tão diferente de Flaubert, como Zola é diferente de Dickens. Dizer "escola realista" é tão grotesco como dizer "escola republicana". O Naturalismo é a forma científica que toma a arte, como a república é a forma política que toma a democracia, como o positivismo é a forma experimental que toma a filosofia.*
*Tudo isto se prend e e se reduz a esta fórmula geral: que fora da observação dos factos e da experiência dos fenômenos, o espírito não pode* obter nenhuma soma de verdade.
*Outrora uma novela romântica, em lugar de estudar o homem, inventava-o. Hoje o romance estuda-o na sua realidade social. Outrora no drama, no romance, concebia-se o jogo das paixões a priori; hoje, analisa-se a posteriori, por processos tão exactos como os da própria fisiologia. Desde que se descobriu que a lei que rege os corpos brutos é a mesma que rege os seres vivos, que a constituição intrínseca duma pedra obedeceu às mesmas leis que a constituição do espírito duma donzela, que há no mundo uma fenomenalidade única, que a lei que rege os movimentos dos mundos não difere da lei que rege as paixões humanas, o romance, em lugar de imaginar, tinha simplesmente de observar. O verdadeiro autor do naturalismo não é pois Zola – é Claude Bernard. A arte tornou-se o estudo dos fenômenos vivos e não a idealização das imaginações inatas...*

(Eça de Queirós. Cartas Inéditas de Fradique Mendes. In: *Obras de Eça de Queirós*)

**Prefácio interessantíssimo**

24 *Belo da arte: arbitrário, convencional, transitório – questão de moda. Belo da natureza: imutável, objetivo, natural – tem a eternidade que a natureza tiver. Arte não consegue reproduzir natureza, nem este é seu fim. Todos os grandes artistas, ora consciente (Rafael das Madonas, Rodin do Balzac,*

*Beethoven da Pastoral, Machado de Assis do Brás Cubas), ora inconscientemente (a grande maioria) foram deformadores da natureza. Donde infiro que o belo artístico será tanto mais artístico, tanto mais subjetivo quanto mais se afastar do belo natural. Outros infiram o que quiserem. Pouco me importa.*

25 *Nossos sentidos são frágeis. A percepção das coisas exteriores é fraca, prejudicada por mil véus, provenientes das nossas taras físicas e morais: doenças, preconceitos, indisposições, antipatias, ignorâncias, hereditariedade, circunstâncias de tempo, de lugar, etc... Só idealmente podemos conceber os objetos como os atos na sua inteireza bela ou feia. A arte que, mesmo tirando os seus temas do mundo objetivo, desenvolve-se em comparações afastadas, exageradas, sem exatidão aparente, ou indica os objetos, como um universal, sem delimitação qualificativa nenhuma, tem o poder de nos conduzir a essa idealização livre, musical. Esta idealização livre, subjetiva, permite criar todo um ambiente de realidades ideais onde sentimentos, seres e coisas, belezas e defeitos se apresentam na sua plenitude heróica, que ultrapassa a defeituosa percepção dos sentidos. Não sei que futurismo pode existir em quem quase perfilha a concepção estética de Fichte. Fujamos da natureza! Só assim a arte não se ressentirá da ridícula fraqueza da fotografia... colorida.*

(Mário de Andrade. *Pauliceia desvairada.* In: Poesias completas. 1987)

**2. (Unesp-2004) No fragmento transcrito do "Prefácio interessantíssimo", Mário de Andrade aborda, como Eça de Queirós, a questão da composição literária pelo escritor. Depois de reler ambos os textos,**

a) demonstre que a frase de Mário de Andrade que começa em "Esta idealização livre..." defende para a composição literária e artística uma postura teórica diferente da de Eça de Queirós.

b) explique o caráter "convencional, transitório" atribuído por Mário de Andrade no início de seu texto ao "belo da arte".

**Comentário:**

a) Ao afirmar que a "idealização livre", propiciada pela arte e, consequentemente, pela literatura, "permite criar todo um ambiente de realidades ideais", resultante da deformação da realidade exterior e da recorrência ao plano subjetivo, Mário de Andrade se distancia da concepção de arte defendida por Eça de Queirós. Isso porque se aproxima dos ideais estéticos das vanguardas europeias, como o Expressionismo, diferentemente do autor português, cujos princípios estéticos estão próximos aos de uma arte mimética.

b) Mário de Andrade utiliza os termos "convencional e transitório" ao definir o belo na arte, e não o belo na natureza. Essa definição explicita o fato de o autor considerar um critério sincrônico, temporalmente datado, para valorar a obra de arte, uma vez que os usados para esse fim são influenciados por diferentes escolas artísticas que surgem e desaparecem com o tempo. Trata-se, assim, de uma convenção histórica e culturalmente determinada.

**3. (Cesusc-2013) Assinale a alternativa em que se encontram as preocupações estéticas da Primeira Geração Modernista.**

a) "Minhas reivindicações? Liberdade. Uso dela; não abuso." "E não quero discípulos. Em arte: escola = imbecilidade de muitos para vaidade dum só."

b) "Na exaustão causada pelo sentimentalismo, a alma ainda tremula e ressoante da febre do sangue, a alma que ama e canta porque sua vida é amor e canto, o que pode senão fazer o poema dos amores da vida real?"

c) "Não entrem no verso culto o calão e solecismo, a sintaxe truncada, o metro cambaio, a indigência das imagens e do vocabulário do pensar e do dizer."

d) "O poeta deve ter duas qualidades: engenho e juízo; aquele, subordinado à imaginação, este, seu guia, muito mais importante, decorrente da reflexão. Daí não haver beleza sem obediência à razão, que aponta o objetivo da arte: a verdade."

e) "Vestir a Ideia de uma forma sensível que, entretanto, não terá seu fim em si mesma, mas que, servindo para exprimir a Ideia, dela se tornaria submissa."

**Comentário:** No "Prefácio interessantíssimo", de *Pauliceia desvairada*, Mário de Andrade defende, o rompimento com as escolas anteriores ao afirmar que não quer discípulos, uma vez que a filiação a uma escola literária é uma "imbecilidade", e reivindica a liberdade no plano da criação. Essa postura se estende à primeira geração modernista, da qual fizeram parte também Oswald de Andrade e Antônio Alcântara Machado. Alternativa **A**.

4. **(Udesc-2010) A Semana da Arte Moderna de 1922 tinha como uma das grandes aspirações renovar o ambiente artístico e cultural do país, produzindo uma arte brasileira afinada com as tendências vanguardistas europeias, sem, contudo, perder o caráter nacional; para isso contou com a participação de escritores, artistas plásticos, músicos, entre outros.**

Analise as proposições em relação à Semana da Arte Moderna, assinale (V) para as VERDADEIRAS e (F) para as FALSAS.

( ) O movimento Modernista buscava resgatar alguns pontos em comum com o Barroco, como os contos sobre a natureza; e com o Parnasianismo, como o estilo simples da linguagem.

( ) A exposição da artista plástica Anita Malfatti representou um marco para o Modernismo brasileiro; suas obras apresentavam tendências vanguardistas europeias, o que de certa forma chocou grande parte do público; foi criticada pela corrente conservadora, mas despertou os jovens para a renovação da arte brasileira.

( ) O escritor Graça Aranha foi quem abriu o evento com a sua conferência inaugural "A emoção estética na Arte Moderna"; em seguida, apresentou suas obras *Pauliceia desvairada* e *Amar, verbo intransitivo.*

( ) O maestro e compositor Villa-Lobos foi um dos mais importantes e atuantes participantes da Semana; neste ano comemoram-se 50 anos de sua morte.

( ) As esculturas de Brecheret, impregnadas de modernidade, foram um dos estandartes da Semana; sua maquete do Movimento às Bandeiras, que foi recusada pelas autoridades paulistas hoje é umas das esculturas públicas mais admiradas em São Paulo.

Assinale a alternativa que contém a sequência correta, de cima para baixo:

a) V – F – V – F – V.
b) F – F – V – V – V.
c) F – V – F – V – V.
d) V – V – F – V – F.
e) V – V – V – V – V.

**Comentário:** A primeira geração do Modernismo buscava o rompimento com a escola parnasiana, que retomou preceitos da Antiguidade Clássica e cuja poesia, cultivada por meio de metrificação rigorosa e de formas fixas, como o soneto, era objetiva e utilizava vocabulário e recursos estilísticos rebuscados. Graça Aranha fez o discurso inaugural da Semana de Arte Moderna de 1922, mas o autor de *Pauliceia desvairada* e *Amar, verbo intransitivo* é Mário de Andrade. São falsas, portanto, a primeira e a terceira afirmativas alternativa C.

5. **(Mackenzie-2004) Considere as seguintes afirmações sobre a primeira fase do Modernismo brasileiro:**

I. foi influenciada pelas estéticas das vanguardas europeias.

II. com o uso de versos livres e brancos, conquistou um ritmo poético mais espontâneo.

III. rejeitou a poesia de temática intimista e incentivou a criação de poemas de forte impacto visual.

Assinale:

a) se apenas I e III estiverem corretas.

b) se apenas II e III estiverem corretas.

c) se apenas I e II estiverem corretas.

d) se todas estiverem corretas.

e) se nenhuma estiver correta.

**Comentário:** A terceira afirmativa está incorreta, uma vez que a primeira geração modernista não rejeitou por completo a poesia de temática intimista, embora esta esteja mais presente em poetas da segunda geração, como Cecília Meireles. Para verificar esse dado, vale ler os seguintes versos do poema "Paisagem n.1", de *Pauliceia desvairada*: "E sigo. E vou sentindo,/à inquieta alacridade da invernia,/ como um gosto de lágrimas na boca...". Neles, o eu lírico mergulha na subjetividade de seus sentimentos diante da metrópole paulista.

**6. (Enem-Inep-2012)**

**O trovador**

*Sentimentos em mim do asperamente*
*dos homens das primeiras eras...*
*As primaveras do sarcasmo*
*intermitentemente no meu coração arlequinal...*
*Intermitentemente...*
*Outras vezes é um doente, um frio*
*na minha alma doente como um longo som redondo...*
*Cantabona! Cantabona!*
*Dlorom...*

*Sou um tupi tangendo um alaúde!*

(ANDRADE, M. In: MANFIO, D. Z. (Org.) *Poesias completas de Mário de Andrade.* Belo Horizonte: Itatiaia, 2005)

Cara ao Modernismo, a questão da identidade nacional é recorrente na prosa e na poesia de Mário de Andrade. Em *O trovador*, esse aspecto é:

a) abordado subliminarmente, por meio de expressões como "coração arlequinal" que, evocando o carnaval, remete à brasilidade.

b) verificado já no título, que remete aos repentistas nordestinos, estudados por Mário de Andrade em suas viagens e pesquisas folclóricas.
c) lamentado pelo eu lírico, tanto no uso de expressões como "Sentimentos em mim do asperamente" (v. 1), "frio" (v. 6), "alma doente" (v. 7), como pelo som triste do alaúde "Dlorom" (v. 9).
d) problematizado na oposição tupi (selvagem) *versus* alaúde (civilizado), apontando a síntese nacional que seria proposta no *Manifesto Antropófago*, de Oswald de Andrade.
e) exaltado pelo eu lírico, que evoca os "sentimentos dos homens das primeiras eras" para mostrar o orgulho brasileiro por suas raízes indígenas.

**Comentário:** O tupi, como símbolo representante dos povos indígenas originários do Brasil, e o alaúde, instrumento de cordas proveniente da Europa, representam, respectivamente, os elementos nativos e as influências estrangeiras recebidas. Assim, com esses elementos, Mário de Andrade cria o que seria, a seu ver, uma síntese da identidade nacional. Oswald de Andrade, por sua vez, também defende no *Manifesto Antropófago* uma ideia similar: a de que a arte deveria assimilar criticamente as inovações estéticas das vanguardas europeias, fundindo-as à cultura popular brasileira. Alternativa D.

**(PUCCamp-SP-2017) Para responder à questão 7, considere o texto:**

*O setor fabril já se fazia notar, não só em São Paulo, como também em Campinas e Piracicaba, produzindo tecidos, chapéus e calçados. As casas de fundição colocavam à disposição serras, bombas, sinos, prensas e ventiladores (...). As narrativas de viagem, gênero de escrita muito apreciado por autores e leitores, registravam dessa nova sociedade as impressões colhidas em trânsito e dispostas em painel.*

(FERREIRA, Antonio Celso. *A epopeia bandeirante. Letrados, instituições e invenção histórica (1870-1940)*. São Paulo: Editora Unesp, 2002, p. 78-79)

7. **As inovações e as expansões urbanas a que o texto se refere fazem--se representar em versos que, como estes,**
*Alturas da Avenida. Bonde 3*
*Asfaltos. Vastos, altos repuxos de poeira*
*Sob o arlequinal do céu ouro-rosa-verde.*
*As sujidades implexas do urbanismo,*

**caracterizam a poesia de:**
a) Oswald de Andrade, em *A escrava Isaura.*
b) Mário de Andrade, em *Martim Cererê.*
c) Mário de Andrade, em *Pauliceia desvairada.*
d) Oswald de Andrade, em *Insônia.*
e) Manuel Bandeira, em *A cinza das horas.*
**Comentário:** Os versos transcritos na questão integram o poema "O domador", de *Pauliceia desvairada.* Neles, observam-se as transformações pelas quais passava a cidade de São Paulo no início do século XX. As demais obras mencionadas apresentam outros eixos temáticos e/ou são de outros autores que não os indicados: *A escrava Isaura* foi escrita no século XIX pelo autor romântico Bernardo de Guimarães; *Martim Cererê,* por Cassiano Ricardo; e *Insônia,* por Graciliano Ramos. *A cinza das horas,* por fim, é de fato de autoria de Manuel Bandeira, mas revela influências parnasianas do poeta, que aderiria posteriormente ao Modernismo. Alternativa C.

8. **(ESPM-SP-2009) Leia:**
*Quando sinto a impulsão lírica escrevo sem pensar tudo o que meu inconsciente me grita. Penso depois: não só para corrigir, como para justificar o que escrevi. Daí a razão deste Prefácio Interessantíssimo.*
Nesse texto de Mário de Andrade publicado junto com os poemas de Pauliceia desvairada, seu ideário se aproxima do:
a) Impressionismo, pois propõe expressar de maneira vaga, imprecisa e fluida sensações subjetivas e/ou sensoriais.
b) Futurismo, pois propõe a "arte-velocidade", com uma escrita rápida e dinâmica sobre a vida moderna.

c) Surrealismo, pois propõe a "escrita automática" como forma de liberação de zonas do psiquismo humano.
d) Dadaísmo, pois se baseia no acaso, na espontaneidade mais desvairada da escrita.
e) Cubismo, pois revela uma visão multifacetada e de formas geométricas da realidade.

**Comentário:** Embora Mário de Andrade ainda não tivesse, no momento em que escreveu o "Prefácio interessantíssimo", contato com os surrealistas, como André Breton, é visível na passagem sobre a qual trata a questão a afinidade entre o princípio de criação poética descrito pelo poeta brasileiro e as ideias formuladas por artistas do Surrealismo. Estes se apoiaram na psicanálise para justificar que, nas artes, era fundamental a livre expressão do subconsciente e do inconsciente, o que se revela, dentre outros procedimentos, na escrita automática, que não passa num primeiro momento, segundo escreve o autor de *Macunaíma*, pelo crivo da razão. Alternativa C.

**9. (UFPE-1998)**

**(1) Mário de Andrade**

**(2) Oswald de Andrade**

( ) Visão renovadora, linguagem carregada de ironia com poemas-piadas e poemas-relâmpagos.
( ) *Pauliceia desvairada*, seu primeiro livro modernista, apesar de imagens retóricas, é escrito em versos livres.
( ) Em *Macunaíma* conseguiu concretizar anseios nacionalistas.
( ) Em seus diversos livros, tem a preocupação de "abrasileirar" as tendências vanguardistas e a língua portuguesa.
( ) Na poesia, transpõe para a literatura a linguagem do cinema e da propaganda. Na prosa, usa o mesmo estilo fragmentário, como se pode ver em *Memórias sentimentais de João Miramar*.

A ordem correta é:
a) 1, 2, 2, 2, 1.
b) 2, 1, 1, 2, 1.
c) 2, 2, 2, 1, 1.
d) 2, 1, 1, 1, 2.
e) 1, 2, 1, 2, 1.

**Comentário:** Oswald de Andrade foi um dos primeiros modernistas brasileiros e cultivou uma obra marcada pela ruptura estética e pela ousadia. Ele escreveu diversos poemas-piadas e poemas-relâmpagos, como "Amor, humor" e "Erro de português", em que apresenta visão inovadora e irônica sobre as temáticas abordadas, utilizando uma linguagem telegráfica e concisa, na qual se revelam influências das vanguardas europeias e das linguagens do cinema e da propaganda. Essas características se apresentam também nos romances *Memórias sentimentais de João Miramar* e *Serafim Ponte Grande*. Mário de Andrade, por sua vez, sempre pautou sua produção poética na reflexão sobre a tradição e a modernidade, a vanguarda e a cultura popular. Desse modo, incorporou em sua poesia e também em sua prosa elementos das vanguardas europeias, como as inovações na linguagem (neologismos, utilização de vocábulos provenientes de diversas línguas, gírias, rupturas sintáticas) e na forma (como o uso do verso livre, presente em *Pauliceia desvairada*), mas sempre tendo como horizonte a reflexão sobre a identidade nacional.

**10. (PUCCamp-SP-2011) Reconhece-se adequadamente a estreita relação histórica que houve entre os seguintes elementos:**
a) Primeiro modernismo – industrialização – *Pauliceia desvairada.*
b) Centenário da Independência – Segunda Guerra Mundial – *Macunaíma.*
c) Segunda Guerra Mundial – industrialização – *Poesia pau-brasil.*
d) Pós-Segunda Guerra Mundial – Semana de Arte Moderna – *Os sertões.*
e) Geração de 1945 – regionalismo nordestino – *Fogo morto.*

**Comentário:** *Pauliceia desvairada*, publicada em 1922 e um dos principais textos da primeira geração modernista, tem como eixo temático a capital paulista, que passava na época por um intenso processo de industrialização e modernização, como se pode perceber pela leitura de poemas como "O domador". Com exceção da alternativa A, as demais alternativas estão incorretas. A Segunda Guerra Mundial seria tematizada apenas no segundo modernismo, especialmente na poesia, e não no momento da publicação do *Manifesto Pau-Brasil*, de Oswald de Andrade, nem de *Macunaíma*, de Mário de Andrade, tampouco de *Os sertões*, de Euclides da Cunha, que precede os demais autores. *Fogo morto*, por fim, é uma obra representativa do regionalismo nordestino, mas seu autor, José Lins do Rego, faz parte da segunda geração modernista, e não da de 1945, como Guimarães Rosa e Clarice Lispector.

**11. (IF-Sul-2014)**

*Além de Machado de Assis, Mário de Andrade, importante modernista na elaboração do programa da Semana de 1922, também estabelece diálogo com a música. O Prefácio interessantíssimo, que Mário de Andrade elabora para Pauliceia desvairada, é exemplo de como o autor tem em seu horizonte não apenas a feitura da poesia, mas também sua teorização e sua recepção crítica. Para tanto, a música "ajuda-o a arrumar ideias sobre dois sistemas de compor: o melódico e o harmônico. (...) Temos aí, transpostos em termos de teoria musical, os princípios da colagem (ou montagem) que caracterizam a pintura de vanguarda da época. E, de fato, a elisão, a parataxe e as rupturas sintáticas passariam a ser os meios correntes na poesia moderna para exprimir o novo ambiente, objetivo e subjetivo, em que vive o homem da grande cidade, que anda de carro, ouve rádio, vê cinema, fala ao telefone, e está cada vez mais sujeito ao bombardeio da propaganda."*

(Alfredo Bosi, *História concisa da Literatura Brasileira*)

**É correto afirmar, a partir da leitura de Bosi sobre Pauliceia desvairada, que:**

a) no "Prefácio interessantíssimo", Mário de Andrade declara ter fundado o desvairismo, método caracterizado como uma poética hermética e de rigidez formal.

b) Mário de Andrade produz uma teorização eclética na qual se percebe uma desconfiança para com o puro racional e certo "antinaturalismo" do século XX.
c) no "Prefácio interessantíssimo" Mário de Andrade declara ter fundado o desvairismo, poética centrada nas vanguardas europeias e na continuidade do programa parnasiano.
d) o "Prefácio interessantíssimo" não traz a descrição de processos de estilo, caracterizando a poética do desvairismo de modo mais generalista.

**Comentário:** Conforme afirmado na alternativa **B**, no "Prefácio interessantíssimo", Mário de Andrade teoriza ecleticamente o fazer poético, uma vez que se baseia em princípios de composição não somente da literatura, mas também de outras artes, como a música e as artes plásticas. Nessa teorização, é evidente a não aceitação dos princípios da racionalidade, muito presentes na abordagem cientificista que Naturalismo do século XIX faz da realidade.